VLINDERS OF
VRIENDEN

Liz Elwes
Een geweldige zomer
Vakantiekriebels
Tintelend verliefd

Hilary Freeman
Vlinders of vrienden

*Actuele informatie over Kluitmanboeken
kun je vinden op kluitman.nl*

First Love

VLINDERS OF VRIENDEN

HILARY FREEMAN

KLUITMAN

Voor mijn ouders, Michael en Vivien Freeman

NUR 283/GGP051201
MMXII Nederlandse editie: Uitgeverij Kluitman Alkmaar B.V.
© MMXI Hilary Freeman
First published in the United Kingdom in MMXI by Piccadilly Press, London, England
Oorspronkelijke titel: *Camden Town Tales. The Celeb Next Door*
Nederlandse vertaling: Astrid Staartjes
Omslagontwerp: Sanneke Prins, Sproud Amsterdam
Opmaak binnenwerk: Marieke Brakkee
Alle rechten voorbehouden, inclusief het recht van reproductie
in zijn geheel of in gedeelten, in welke vorm dan ook.

kluitman.nl

Hi!

Ik ben in een saaie buitenwijk opgegroeid dus tegen de tijd dat ik een tiener was, stond ik te springen om wat leven in de brouwerij. Dat was te vinden in Camden Town. Op zondagen reisden mijn vriendinnen en ik naar Camden Market om tweedehands jeans te kopen, hennatatoeages te laten zetten en vriendschapsarmbandjes uit te wisselen. Toen we iets ouder waren gingen we naar concerten en naar Camden Palace Nightclub (nu KOKO).

Zodra ik mijn eerste baantje in Londen kreeg, wist ik precies waar ik wilde wonen: dat moest Camden zijn. Ik huurde een etage op High Street en werd weer helemaal verliefd op de buurt – en ik zit er nog steeds. In Camden kun je zijn wie je maar wilt – trendy, eigenzinnig, conventioneel, of zelfs een beetje excentriek – het maakt niemand wat uit.

Dit boek gaat over een groep vrienden die allemaal in dezelfde denkbeeldige straat in Camden wonen. Je hebt Rosie met haar celeb-obsessie, die niet zo werelds is als ze denkt; haar beste vriendin Vix, die iets serieuzer is; en Sky, wiens moeder een gênante hippie is. Samen hangen ze rond op de markt, bezoeken concerten, spotten celebs, worden verliefd en maken af en toe ruzie.

Ik hoop dat je door mijn boeken net zo veel van Camden gaat houden als ik!

Liefs,
Hilary

Proloog

Ik kan nauwelijks geloven waar ik ben. In de viptent. Op de gastenlijst voor vrienden en familie!

Regent's Park heeft voor het festival een metamorfose ondergaan. Aan beide kanten van de groene vlakte zijn gigantische podia opgesteld en overal staan stalletjes met eten, kleren en merchandise-artikelen van de bands. Er lopen duizenden mensen rond en de sfeer is fantastisch. Het is net één groot openluchtfeest, dat de hele dag duurt.

Max en ik komen net de tent uit om wat over het terrein te slenteren als ik een bekend gezicht zie. Het is Lisa, een meisje uit mijn jaar, en twee van haar even *bitchy* vriendinnen. Ze hangen bij de ingang rond om te kijken wie er naar buiten komt. Lisa is nooit mijn vriendin geweest. Tot nu, blijkbaar.

'Rosie!' roept ze opgewonden uit. 'Oh my God... zo leuk om jou te zien! Wat doe jij hier?' Ze komt op me afgerend en laat haar vriendinnen achter haar aan draven. 'Hé, zag ik jou nou net uit de viptent komen? Wat deed je daar?'

'Hé, Lisa.' Ik kijk haar stralend aan en laat haar mijn wang zoenen. 'Ik ben hier omdat ik de bandleden ken.' Ik friemel aan mijn polsbandje en probeer niet te arrogant te kijken. 'Rufus Justice is mijn buurman. En,' ik knik naar Max, die naast me staat en mijn hand vasthoudt, 'dit is mijn vriendje Max – de broer van Rufus.'

Lisa reageert precies zoals ik had gehoopt. Ze krijgt ogen zo groot als schoteltjes en ik zou zweren dat ze vol ontzag naar me opkijkt, ook al is ze bijna tien centimeter langer dan ik. Jammer dat het zomervakantie is. Met zo'n grote mond als die van Lisa zou mijn celeb-romance binnen een dag de hele school zijn rondgegaan.

'O, oké, cool,' zegt ze en ik zie dat ze staat te popelen om te vragen of ik ook een vippas voor haar kan regelen, maar ze durft niet.

Hoe goed het ook voelt, ik moet mezelf even in de arm knijpen. Hoe ben ik, Rosie Buttery, opeens iemand geworden die de moeite waard is om te kennen?

Nou, het begon allemaal op een zondagmiddag, een paar weken voor de zomervakantie…

1

De celebometer

'Vix, moet je nou horen!' Ik praat waarschijnlijk harder dan ik dacht, want de mensen die voorbij komen lopen, draaien zich om en staren me aan. 'Ik heb net in Costa Coffee echt de meest waanzinnige celeb gespot. Ik móést gewoon naar binnen om te kijken of het klopte. Ik zweer je dat hij het was!' Ik wacht tot Vix me vraagt wie het was, maar dat doet ze niet, dus zeg ik het zelf maar. 'Adam Grigson, die gast uit de vampierfilm. Hij lachte ook nog naar me.' Toegegeven, waarschijnlijk was het voor de vrouw die achter me stond bedoeld, maar dat is maar een detail: hij lachte in mijn richting.

'Cool, Rosie, top,' antwoordt Vix niet bijster enthousiast.

Ik heb spijt dat ik Sky niet eerst heb gebeld.

'Zeg nou zelf, Vix, best een goeie plek, toch? Nu lig ik ver voorop.'

'Oké,' zegt Vix. 'Trouwens, dat was ik nog vergeten: ik heb daarstraks ook iemand gespot.'

'O ja? Waarom heb je dan niet gebeld? Kom op... zeg dan wie...'

'Het leek niet zo belangrijk. En ik kan niet op haar naam komen...'

'Jong? Oud? Dik? Geef eens wat aanwijzingen.'

'O, je weet wel, dinges...' zegt Vix gefrustreerd. 'Van die soap die jij zo leuk vindt. Die ene met al dat haar.'

'O, dínges. Ja, natuurlijk. Cheryl-Anne Taylor, bedoel je. Je krijgt niet de volle mep als je geen namen weet. Ik geef je... zeven punten.'

'Mij best,' zegt Vix. Ze lacht. 'Het zal wel. Je neemt het veel te serieus, Rosie, het lijkt wel of je aan de Olympische Spelen meedoet of zo.'

Misschien neem ik het iets te serieus, maar ik wil gewoon dat mijn vriendinnen volgens de regels spelen. Ik noem het de 'celebometer' en ik heb het spel een paar weken geleden op een zondagmiddag verzonnen, op weg terug naar huis van Camden Market. Daar lopen altijd zo veel acteurs, muzikanten en tv-presentatoren rond, dat het gewoon zonde leek er niet een sport van te maken.

De regels zijn heel simpel: als je een bekende spot moet je minstens een van je vriendinnen bellen of sms'en om het vast te laten leggen. De puntentoekenning hangt af van hoe bekend of hot de gespotte persoon is, en of er oogcontact of een praatje wordt gemaakt. Ik heb nog niet besloten wat de uiteindelijke prijs is. Daar kom ik nog wel op, daar ben ik goed in. Maar als Vix vandaag niet wil meespelen, ga ik haar niet dwingen.

'Luister, ik vind het best als je niet mee wilt doen.'

Ze zucht. 'Dat is het niet. In het begin was het leuk. Alleen lijkt het nu alsof je alleen nog maar kunt praten over wie je nu weer hebt gespot. Ik wil het ook wel eens over iets anders hebben, weet je.'

'Oké. Tuurlijk. Ik had niet door dat dat zo was. Sorry.'

'Het geeft niet,' zegt ze met een warme stem.

'En, kom je vanavond nog langs?'

'Sorry, ik kan niet. Mam wil dat we met het hele gezin eten. Ik heb helaas geen keus.'

'Balen. Nou, dan zie ik je morgen wel weer, op weg naar school. En straks chatten we natuurlijk nog. Ik ga even checken wat Sky doet. Ik kom net onze straat in lopen. Tot later...'

Ik woon mijn hele leven al in Paradise Avenue, een samengeraapt zootje in Camden Town. Mijn beste vriendinnen Vix en Sky wonen er ook. Het is niet een hele lange straat, maar wel een hele vreemde. De huizen passen totaal niet bij elkaar. De ene kant van de straat is sociale woningbouw, en aan de andere kant staan een aantal grote Victoriaanse huizen. In een van die huizen woon ik, op nummer zeventien. Niet omdat ik zo rijk ben, maar omdat het huis al zestig jaar in mijn familie is.

Mensen die op bezoek komen, zeggen altijd dat Paradise Avenue 'karakter' heeft, en de mensen die er wonen zeggen dat ook. Naast advocaten, zakenlui, artsen (zoals mijn moeder, die in het gezondheidscentrum werkt), wonen er wat schrijvers en muzikanten en ook nog een paar excentrieke oude dametjes in het begeleid-wonen-blok. Als je 's avonds door de straat loopt, hoor je altijd wel ergens een band oefenen, iemand die gitaarles geeft, of een operazangeres die zangoefeningen doet.

Er wonen ook een paar mensen die je liever uit de weg gaat. Er is een hele vreemde vent die nooit zijn haar knipt of wast en de hele dag in gokwinkels zit, en een groep krakers die een huis hebben bezet en er een 'kunstcollectief' van hebben gemaakt.

Als je van rust houdt, zit je in Paradise Avenue verkeerd. Geen mens woont om die reden in Camden Town.

Als ik voor Sky's deur sta bel ik aan, in de hoop dat zij opendoet en niet haar moeder. Niet dat ik haar moeder niet leuk vind, maar ik heb vandaag gewoon even geen zin in een praatje met haar. Ze is een van die moeders die per se met haar voornaam wil worden aangesproken (Rebecca) en die wil weten waar je allemaal mee bezig bent, alsof ze ook een vriendin van je is. Sky zegt dat het komt omdat ze sinds het vertrek van haar vader eenzaam is. Het is soms echt gênant, vooral als ze zich als een leeftijdsgenoot probeert te gedragen en over jongens wil praten of met ons mee wil naar de markt.

Dan ben ik blij dat ik een saaie, preutse moeder heb – zoals moeders horen te zijn. Ik ben ook heel dankbaar dat mijn ouders mij en mijn broer Charlie normale namen hebben gegeven. Sky's zussen heten Ocean en Grass. Dat is allemaal leuk en aardig als je ergens in India in een hippiecommune woont, maar niet als je in hartje Londen op school zit. En helemaal niet als je achternaam Smith is.'

'Hallo?' Ik schrik op van Sky's stem die door de intercom schettert.

'Hoi, ik ben het. Kan ik boven komen?'

'Ja! Gelukkig, jij het bent! Mam verwacht voor het avondeten een paar van die gestoorde vrienden van haar. Kom snel naar boven.'

Ze staat me op de overloop op te wachten. Ze ziet er nogal opgetut uit voor een zondagavondje thuis: haar donkere glanzende haar zit perfect in model en ze heeft een zwarte stretchjurk aan.

Sky doet niet aan vrijetijdskleding. 'Red me,' zegt ze geluidloos voor we elkaar omhelzen.

Ik moet giechelen en probeer de vreemde geur die uit de keuken komt te negeren. 'We kunnen naar mijn huis, als je wilt.'

'Dat kan helaas niet. Ik moet mam begeleiden op de gitaar. Ze gaan zestiende-eeuwse madrigalen zingen. Waag het niet iets te zeggen...'

'Ik zou niet durven,' zeg ik, maar ik kan het niet laten te gniffelen. 'Misschien kun je er halverwege een rap tegenaan gooien.'

Sky doet alsof ze me wil slaan. Ik duik weg. 'En, wat heb jij verder nog gedaan vandaag?'

'Een beetje geshopt. Dat vergat ik je nog bijna te vertellen: ik heb daarstraks echt een waanzinnig iemand gespot...'

Zodra de naam Adam Grigson valt, is Sky veel meer onder de indruk dan Vix. 'Echt waar? Wauw!'

Ze is net zo geobsedeerd door celebs als ik, misschien nog wel meer, vooral omdat het haar moeder irriteert, die van mening is dat het hele celebrity-fenomeen het ergste is wat een maatschappij kan overkomen en het einde van de wereld inluidt. 'Je had hem moeten aanspreken. Ik vraag me af wat hij in Camden deed.'

'Ik heb gehoord dat er filmopnames zijn. Een paar dagen geleden zag ik een paar locatiebussen. Oh my God, denk je dat er in het café werd gefilmd? Misschien kom ik ook in beeld, ergens achterin, als figurant.'

'Ze zouden jou er niet bij willen hebben,' zegt Sky met een grijns. 'Je zou voortdurend naar de camera zwaaien om maar gezien te worden.'

'Dat is niet eerlijk!' Zogenaamd beledigd trek ik een pruillip (mijn 'vissenmond' noemt Sky dat). 'Alhoewel je waarschijnlijk gelijk hebt.'

We verdwijnen in Sky's kamer, zetten muziek op en gaan op haar bed zitten kletsen. We horen een paar keer de bel, gevolgd door opgewonden gekakel. Er wordt op de deur geklopt en voordat Sky kan antwoorden, duwt haar moeder de deur open. Ze heeft een lang, loshangend linnen gewaad aan en – overduidelijk – geen bh. Ik probeer niet te kijken.

'Hallo, Rosie,' zegt ze met een glimlach. 'Waarom ben je niet even gedag komen zeggen? Ik vind het altijd zo leuk om met je te praten.'

'Sorry, mevrouw... Rebecca,' antwoord ik schaapachtig.

Sky geeft me een por in mijn zij, waardoor ik bijna in de lach schiet.

'Heb je zin om te blijven eten? Kun je zingen of speel je een instrument? We houden een muziekavond.'

'Ik heb een slecht muzikaal gehoor, Rebecca.' Dat is natuurlijk gelogen, maar het is een onschuldig leugentje. 'Ik zou het alleen maar verpesten.' Wat wel helemaal waar is.

'Welnee, ik weet zeker van niet. Jij zou tamboerijn kunnen spelen.'

Sky geeft me weer een por en nu moet ik echt mijn best doen om niet te giechelen. Ik hou mijn adem in, maar proest het toch bijna uit. 'Heel aardig van je, Rebecca, maar echt, ik wil jullie avond niet verknallen. En ik heb mijn moeder beloofd dat ik thuis zou eten.'

'Helemaal niet erg.' Ze glimlacht. 'Kun je in dat geval over niet al te lange tijd naar huis gaan? Ik wil niet onbeleefd zijn, maar we willen zo beginnen.'

'O, tuurlijk.' Ik hijs mezelf overeind. 'Ik ga meteen.' Ik kus Sky en maak een telefoongebaar. 'Laters!'

Sky vangt mijn blik en knikt verwoed. 'Red me,' zegt ze weer geluidloos en ik tuit meelevend mijn lippen naar haar.

Het is bijna donker en er zijn niet veel mensen op straat; alleen een stelletje op weg naar de dichtstbijzijnde kroeg. Ik herken ze niet, maar mijn straat wordt vaker door vreemden gebruikt als afsnijroute. Mijn huis ligt aan het einde van de straat, op een paar minuten lopen van dat van Sky. Ik vraag me onderweg af of er vanavond iets leuks op tv is. Ik heb dat lege zondagavondgevoel, het verschrikkelijke vooruitzicht van morgen vroeg op te moeten staan voor weer een hele week school. Volgend weekend is nog zo'n eind weg...

Ik ben zo in gedachten dat ik bijna de grote verhuiswagen die voor mijn deur staat over het hoofd zie.

'Voorzichtig, meissie,' zegt een man die een grote doos draagt. Hij weet me net te ontwijken. 'Dit zijn dure spullen.'

'O jee, sorry.' Ik sta stil en kijk om me heen. Nu zie ik dat er meer mannen dozen het huis in dragen. Het is het grootste huis in de straat en het heeft bijna een jaar leeggestaan. De afgelopen paar maanden is er aardig wat aan verbouwd: ik werd helemaal gek van het irritante geboor en gedreun. Zelfs zonder afleiding is huiswerk maken al moeilijk genoeg.

Eindelijk komt er iemand wonen. Zou er een meisje van mijn leeftijd bij zijn, of nog beter: een leuke jongen? Zul je zien dat het een gezin is met jonge kinderen, of een bejaard stel van wie ik mijn muziek zachter moet zetten, zelfs als die helemaal niet hard staat.

'Komt er iemand wonen?' vraag ik aan een van de verhuismannen. Stomme vraag, ik weet het. Ik heb alleen geen idee hoe ik het anders moet aanpakken. 'Ik woon namelijk hiernaast.'

'Jep,' zegt de man. 'Een jonge gast. Een of andere muzikant of zo.' Hij gebaart naar het huis en daarna naar de grote, antieke houten tafel die hij aan het uitladen is. 'Hij heeft het niet slecht voor elkaar, hè?'

Ik knik. Een muzikant klinkt veelbelovend, helemaal als hij rijk en succesvol is. 'Vindt u het vervelend als ik even blijf kijken?'

'Doe waar je zin in hebt,' zegt de verhuisman, die bezweet is en buiten adem. 'Het gaat mij niks aan.'

Ik leun tegen de muur en kijk hoe alle spullen worden uitgeladen. Behalve meubels en dozen met cd's lijkt er ook dure opnameapparatuur bij te zitten.

Net als ik naar binnen wil gaan omdat ik het een beetje koud begin te krijgen en mam zich waarschijnlijk zit af te vragen waar ik blijf, hoor ik een kletterend geluid vanuit de vrachtwagen, en een van de verhuizers zegt: 'Oeps, voorzichtig!' gevolgd door iets wat ik maar niet zal herhalen. Ze worstelen met z'n drieën met iets dat ze duidelijk heel voorzichtig moeten behandelen.

Nieuwsgierig loop ik dichterbij. Het is een gigantisch drumstel. Mijn nieuwe buurman is een drummer? Drummers zijn niet zo cool als gitaristen of zangers, maar ze gaan tenminste niet lopen jammeren over geluidsoverlast.

Dan zie ik iets waardoor ik vol ongeloof nog eens beter kijk: het woord *Fieldstar* en een logo dat met een kronkelige ster, in heldere, felrode verf op de voorzijde van het drumstel is aangebracht. Ik heb dit drumstel vaker gezien; op tv en op foto's in tijdschriften (en op de posters aan mijn muur). Dat logo kan maar één ding betekenen: dit drumstel is van Rufus Justice, de drummer van mijn favoriete band, Fieldstar.

Mijn vingers jeuken. Ik kan niet wachten tot ik Vix en Sky

kan bellen met het meest opwindende nieuws dat ze tot nu toe te horen hebben gekregen: de geniale, superknappe Rufus Justice wordt mijn nieuwe buurman!

Dat is zeker vijfduizend punten op de celebometer waard. Hier kan niemand tegenop. De wedstrijd is voorbij!

2

Dit zijn de Buttery's

Bij mijn binnenkomst kijkt niemand op of om, maar ik ben niet anders gewend. Pap legt in zijn 'studio' (de logeerkamer) de laatste hand aan zijn nieuwste abstracte meesterwerk, Charlie zit op zijn kamer te computeren en mam staat te koken.

'Mam, geloof het of niet, maar Rufus Justice komt naast ons wonen!' kondig ik aan als ik de keuken in loop. 'Ongelofelijk, toch?'

'Wie?' vraagt mijn moeder afwezig.

'Rufus Justice! Van Fieldstar!'

'O,' zegt mam. 'Zou ik die moeten kennen?'

'Dûh, ja. Ik heb zo'n beetje alle albums die Fieldstar ooit heeft uitgebracht en mijn muur hangt vol met hun posters. En je hebt voor mijn verjaardag kaartjes voor hun concert gekocht, weet je nog?'

'O ja. En wie van hen is Rufus?'

'Die ene knappe – nou ja, ze zijn allemaal knap. Die met die borstspieren en dat haar dat alle kanten op staat. De drummer.'

Mijn moeder trekt een zorgelijk gezicht. 'Die is veel te oud voor jou,' zegt ze terwijl ze verwoed aan het roeren is.

'Hij is pas eenentwintig. Hoe dan ook, hij komt hiernaast wonen hoor, het is niet zo dat ik met hem ga daten.' Hoewel dat helemaal geen slecht idee is, nu ik erover nadenk. 'Wie weet schrijft hij zich wel bij jouw kliniek in. Dan kom je alles over hem te weten.'

'Zulke vertrouwelijke informatie mag ik helemaal niet prijsgeven,' zegt mam met haar serieuze doktersstem.

'Weet ik ook wel. *Boring.*' Niet dat ik echt op haar hulp rekende. Ik trek mijn schouders op en loop de keuken uit.

'Het eten is bijna klaar, hoor,' roept mijn moeder me na. 'Vijf minuten, oké?'

'Oké.' Ik loop naar boven. Hopelijk toont pap wat meer interesse in mijn geweldige nieuws. Hij is gek op een van de Fieldstar-songs, dat ene nummer dat iedereen altijd meezingt op festivals. Hij zegt dat hij zich er beter door kan concentreren bij het schilderen. Muren, welteverstaan, geen schilderijen. Pap is kunstenaar maar hij heeft tot nu toe nog maar één schilderij verkocht, dus verdient hij zijn geld als huisschilder. Op doek schilderen doet hij in zijn vrije tijd.

'Hé, pap.' Ik doe de deur naar zijn studio open. Hij zit onder de verf. Het zit op zijn bril, op zijn wangen en zelfs in zijn haar, waardoor zijn kale plek vakkundig is wegge-werkt.

'Rose, kom eens kijken,' zegt hij. Hij doet een stap naar achteren en bestudeert de dikke klodders rode en blauwe verf op het doek. 'Wat vind je ervan? Ik heb er hard aan gewerkt sinds de laatste keer dat je het zag.'

'Mooi,' zeg ik. Ik zie geen enkel verschil, maar ik wil hem niet kwetsen. 'Wat is de titel ook alweer?'

'De stille dood van de tarantula,' antwoordt hij. Er klinkt trots door in zijn stem.

'Je moet je schilderijen op Camden Market gaan verko-pen,' opper ik. 'Ik ken wel iemand die een plek voor je kan regelen.'

Pap zucht. 'Nee joh, ik ben een échte kunstenaar.'

'Weet ik, pap,' lach ik hem toe. Arme pap, kreeg hij maar eens een kans.

'Ik moet je iets vertellen,' begin ik hoopvol. 'Rufus Jus-tice van Fieldstar komt in Robsons oude huis wonen. Cool, toch?'

'Dat meen je niet,' zegt pap. 'Van wie heb je dat gehoord?'

'Ik zag net een paar verhuizers zijn spullen uitladen. Er zit een hele berg opnameapparatuur bij. Wie weet komt de rest van de band ook wel langs. Kunnen we lekker gaan jammen.'

Ik moet echt vaker gitaarspelen… Ik kan tot nu toe nog maar twee akkoorden, maar ik krijg altijd van die zere vin-gers.

Pap begint zijn favoriete Fieldstar-nummer te fluiten en

beweegt met zijn heupen op de maat. Het is nogal gênant als hij dat doet.

'Oké dan, pap,' zeg ik terwijl ik naar de deur loop. 'Mam zegt dat we over een paar minuten aan tafel kunnen.' Ik heb nog net genoeg tijd om het ongelofelijke nieuws aan Vix en Sky te sms'en.

Zoals gewoonlijk verloopt het avondeten nogal chaotisch. Pap zit in zijn eigen wereld, waarschijnlijk te mijmeren over rode en blauwe vogelspinnen die stilletjes sterven, en mam moet voortdurend de telefoon beantwoorden omdat zij vanavond beschikbaarheidsdienst heeft. Mijn mobiel piept ook voortdurend van de sms'jes van Sky en Vix, die alle details willen horen, en mijn kleine broertje Charlie kan niet stilzitten. In mijn ogen heeft het alleen zin om een broer te hebben als hij ouder is, zodat hij je aan zijn vrienden kan voorstellen. Je hebt niets aan een kleiner broertje, vooral niet als hij zeven jaar jonger is. Het enige wat Charlie doet, is zijn speelgoed overal laten rondslingeren, een hoop kabaal maken en je achternazitten, terwijl hij je zogenaamd beschiet met alles wat hij te pakken kan krijgen. Charlie is echt onuitstaanbaar. Ik had veel liever een zus gehad, zelfs als ze veel jonger was. Die zou ik tenminste iets kunnen bijbrengen over kleren en make-up, en ik zou haar haar kunnen vlechten.

Na het eten rent Charlie naar zijn kamer. Hij komt terug met een voetbal, die hij met een smekende blik aan mij overhandigt, als een hond die wil dat je de bal weggooit zodat hij hem kan ophalen. 'Wil je met me voetballen, Rosie?'

vraagt hij. Hij heeft totaal niet door dat hij me koud laat, wat wel weer schattig is. 'Jij mag keepen, dan val ik aan.'

'O Charlie, ik heb nog van alles te doen,' kreun ik. 'Kun je niet in je eentje spelen?'

Charlie ziet er hevig teleurgesteld uit.

'Ga nou even tien minuutjes met je broer spelen,' zegt mam, die duidelijk zelf niet lastiggevallen wil worden.

'Oké, oké.' Alsof ik niets beters te doen heb.

We gaan de achtertuin in en ik leun tegen de muur terwijl Charlie in mijn richting probeert te schieten. Ik laat hem een doelpunt maken. Hij rent joelend op me af en slaat zijn armen om mijn middel in een stevige, onhandige omhelzing.

'E-hee-nul, e-hee-nul, e-hee-nul,' zingt hij. 'Nu ben jij, Rosie. Jij mag Wayne Rooney zijn.'

Met tegenzin loop ik naar voren en laat Charlie mijn plek bij de muur innemen. Ik leg de bal voor mijn voet en doe een stap naar achteren, klaar om te schieten. Ik ben van plan te missen en Charlie te laten winnen. Opeens bedenk ik dat als ik op mijn tenen ga staan, ik net over de muur heen kan kijken, recht in het huis hiernaast. Het huis van Rufus Justice. Het heeft een glazen patio en als er licht brandt, kun je aardig goed naar binnen kijken. Niet dat er nu licht brandt; het is nog niet bewoond. Maar straks... Ik vraag me af of Rufus feesten gaat geven, met beroemde gasten. Misschien organiseert hij 's zomers barbecues in de tuin en kan ik over de muur geleund met hem praten.

'Kom op nou, Rosie.' Charlie verstoort ruw mijn mooie

dagdroom. 'Schiet dan!'

Ik ren naar voren en terwijl Charlie naar links duikt, schiet ik de bal expres tussen de bloemen. Hij giechelt en hijst zichzelf omhoog. Hij zit onder de aarde. 'Meisjes kunnen er niks van!' zegt hij triomfantelijk. 'Ik heb gewonnen.'

'Ja,' zeg ik. 'Goed gedaan.'

***

Later, als ik alleen op mijn kamer zit, tref ik voorbereidingen voor de komende week. Ik doe de schoolboeken in mijn tas en kies de kleren uit die ik morgen ga aantrekken. Vix en ik zitten op dezelfde school, een meisjesschool op tien minuten loopafstand. Het is een scholengemeenschap waar je geen uniform aan hoeft, maar het is erg moeilijk om erop te komen. Veel celebs hebben er vroeger op gezeten. Sky zit vlakbij op de gemengde scholengemeenschap, deels omdat haar oudere zussen daar ook op zitten en deels omdat haar moeder de papieren voor de meisjesschool niet op tijd in orde had. Ik wou dat we met z'n drieën op dezelfde school zaten, zodat we samen naar school konden lopen en over dezelfde mensen konden roddelen. Sky zegt dat ze zich soms buitengesloten voelt. Maar het coole aan haar school is wel weer dat ze jongens als vrienden heeft, aan wie ze ons kan voorstellen. Bij mij op school zitten er alleen jongens in de bovenbouw en die praten alleen met meisjes uit de bovenbouw.

Ik heb een hekel aan zondagavonden, omdat ik weet

dat ik de volgende dag vroeg op moet en het volgende weekend nog vijf nachten slapen is. Maar misschien wordt deze week minder saai dan anders; misschien heb ik er straks een nieuwe celebrity-vriend bij. Voordat ik naar bed ga stuur ik nog een welterusten-sms'je naar Vix en Sky. Ik zet mijn mp3-speler aan, zodat ik naar Fieldstars nieuwste album kan luisteren tot ik in slaap val. De laatste gedachte voordat mijn ogen dichtvallen, is de vraag of Rufus Justice binnenkort aan de andere kant van de muur zal slapen.

3

Een beroemdheid verhuist

Rufus Justice trekt op dinsdagochtend, terwijl ik op school zit, in zijn nieuwe huis.

Om vier uur, zodra de laatste schoolbel klinkt, haasten Vix en ik ons naar het café verderop, waar Sky ook naartoe komt, zoals altijd op dinsdag. Onder het genot van warme chocolademelk en een bosbessenmuffin, in drie ongelijke stukken verdeeld, bespreken we de dag tot in detail. Alles om het naar huis gaan – naar huiswerk en familie – maar zo lang mogelijk uit te stellen. We zijn geen van allen in een vrolijke stemming: Vix en ik hadden een wiskundeproefwerk dat niet erg goed verliep, en Sky had ruzie met haar vriendje, Rich.

'Dat Rich je zo heeft uitgescholden,' zeg ik tegen Sky, nadat ze ons over de ruzie heeft verteld.

'Echt niet normaal,' zegt Vix, die zelf nog nooit verkering

heeft gehad. Er zijn genoeg jongens die wel zouden willen – ze is zo'n blonde girl next door met rossige wangen die iedereen aardig vindt – maar zij ziet hen nooit zitten. Ze is te kieskeurig, of te onzeker, of allebei; ik weet niet wat het is. Als ik erover begin, wordt ze altijd heel verlegen.

'Ja,' zeg ik. 'Ik hoop dat je hem hebt laten merken dat hij je niet zo kan dissen.'

'Ik had gewoon mijn dag niet,' beweert Sky. Ze is duidelijk heviger verliefd dan ze wil laten merken. 'Maar hij belt straks, zodat we het kunnen uitpraten. Trouwens...' zegt ze, om van onderwerp te veranderen, want ze houdt er niet van als we Rich bekritiseren, 'wat ik al de hele tijd wil zeggen: dat shirt staat je echt goed, Rosie.'

'Dank je.' Ik glimlach. Ik heb een gestreept shirt aan vandaag, niet als ode aan Rufus Justice – die alleen maar gestreepte shirts in verschillende kleurcombinaties draagt – maar omdat de marinelook in is en ik hem net afgelopen weekend op Camden Market bij zo'n legerdumpstalletje heb gekocht. Hij is een beetje te groot, en ook een beetje te lang, want hij is bedoeld voor een Russische matroos met brede schouders en een slanke taille, en niet voor een Engels meisje dat klein van stuk is en enigszins peervormig. Hij was maar acht pond, en het is een origineel, niet zoals al die kopieën in de winkelketens op High Street.

Ik koop mijn kleren meestal op de markt, zodat ik meer aan mijn kleedgeld heb en meer kans maak op iets origineels, zoals een jurk uit de jaren vijftig, of zelfs een Victoriaanse kanten bolero. Het merendeel van mijn vriendinnen denkt er precies zo over, dus meestal gaan we in het weekend samen op kledingjacht. Alleen Sky, die haar hele leven in handgeverfde afdankertjes en tweedehandskleding heeft moeten rondlopen, weigert marktkleren te kopen. Zij houdt van alles wat bij TopShop en Miss Selfridge vandaan komt, vooral als het kort, strak en synthetisch is. Hetzelfde geldt voor haar haar. Zo gauw ze kans zag, liet ze uit opstandigheid haar donkere lokken, die tot op haar middel hingen, in een vlotte ponybob knippen. Haar moeder barstte in snikken uit.

De café-eigenaar werpt ons vuile blikken toe, dus besluiten we dat het tijd is om te vertrekken. We zitten al een half uur rond een bord met kruimels, omdat we geen geld hebben om nog iets te bestellen.

'Oh my God!' gilt Sky bijna uit als we Paradise Avenue inslaan. 'Kijk, er brandt licht in het huis van Rufus! Hij is er ingetrokken.'

'Meen je dat?' Ik tuur langs haar heen om het met eigen ogen te kunnen zien; van opwinding barst ik zowat uit elkaar. 'Jee, ik geloof dat je gelijk hebt. Kom op, laten we gaan kijken.'

We staan met z'n drieën voor Rufus' huis en doen ons best om door de lichtwerende gordijnen en luiken, die hij bij elk raam heeft laten aanbrengen, heen te kijken.

'Je kunt er gewoon niet naar binnen kijken, het is net een fort,' zegt Sky. 'Zo irritant.'

'We kunnen aanbellen en even gedag zeggen,' zegt Vix. 'Daar is niks mis mee, toch?'

Sky giechelt. 'Doe dan, Vix, ga dan.'

'Nee, jij eerst. Jij wilt hem veel liever ontmoeten. Hij is ook maar gewoon een mens.'

We lopen achter elkaar aan naar de voordeur. Sky's aarzelend uitgestoken wijsvinger blijft voor de deurbel zweven. 'Ik durf niet,' zegt ze en ze stapt achteruit. 'Ik ben te nerveus. Rosie?'

'Oké...' Ik til mijn arm op, maar laat hem bijna meteen weer vallen. In mijn buik fladderen gigantische vlinders rond. Misschien zijn het zelfs wel vogels. 'Nee, ik durf niet. Ik ben er niet klaar voor. Ik moet nog bedenken wat ik ga zeggen.'

'*Pussy,*' zegt Vix. Ze draait zich om. 'Gaan jullie maar lekker verder, ik vind er niets meer aan. Ik spreek jullie later wel, oké?' Ze kust ons allebei op de wang en loopt langzaam terug naar huis. Vlak voordat ze naar binnen gaat, zwaait ze nog even.

'Gaat alles wel goed met haar?' vraag ik aan Sky. 'Ze is nogal afstandelijk de laatste tijd.'

'O ja? Is mij niet opgevallen.'

'Meen je dat? Dan ligt het misschien aan mij. Wat het nog erger maakt. Ik krijg het gevoel dat ik haar irriteer, maar ik weet niet waarom.' Vix en ik zijn al heel lang vriendinnen, en ik voel wanneer er iets aan de hand is. Het zit me al een paar dagen dwars. 'Het lijkt wel of het haar niets interesseert dat Rufus hier is komen wonen.'

'Laat maar gaan,' zegt Sky geruststellend. 'Volgens mij is ze een beetje over dat celebrity-gedoe heen... Praat gewoon een keer met haar, oké?'

'Mmm,' zeg ik. 'Ik zal 'es kijken.'

'Dus, doen we het nog of niet?' wil ze weten. We hangen nog steeds voor Rufus' deur rond. 'We kunnen aanbellen en gewoon wegrennen. Misschien komt-ie naar buiten en dan doen we alsof we toevallig langs kwamen lopen en geven we gewoon andere kinderen de schuld.'

'Veel te riskant. Misschien ziet-ie ons. Misschien zit-ie ons nu wel te begluren. Trouwens, hij heeft vast een bewakingscamera. Of van dat spiegelglas.' Ships, denk ik, dat zou best kunnen. Misschien kijkt hij me nu wel recht in mijn ogen, zonder dat ik het weet. Bij die gedachte lig ik zowat dubbel van het lachen. 'O god, wat gênant! Zou dat zo zijn?'

'Hopelijk niet! Stel je voor! Hé Rosie, ik geloof dat ik ook naar huis ga. We durven het geen van beiden en ik wil het telefoontje van Rich niet mislopen. Morgen proberen we het gewoon nog een keer.'

'Oké,' zeg ik. Maar ik hou niet van opgeven. 'Ik ga thuis wel iets bedenken. Of eigenlijk heb ik al een idee…'

Thuis loop ik meteen door naar de keuken. Wat ik van tv-programma's heb opgestoken, is dat mensen hun nieuwe buren altijd met stoofschotels of muffins verwelkomen. Ik stel me zo voor dat ik voor Rufus' op de stoep sta met een rieten mand vol versgebakken lekkernijen onder een rood-geblokte theedoek. 'Een cadeau, om je welkom te heten in onze straat,' zou ik met een perfecte glimlach zeggen (in mijn fantasie draag ik geen beugel), en dan nodigt hij me natuurlijk gezellig uit.

Maar als ik de kastjes en de koelkast opendoe, tref ik alleen een pak sinaasappel-chocoladekoekjes, een paar bruine bananen en een restje couscous aan. 'Geplette banaan, Rufus?' Dat gaat niet werken. Er moet een plan B komen.

En dat verschijnt in de onverwachte vorm van Charlie.

'Hoi, Rosie,' zegt hij terwijl hij de keuken binnenstapt met een voetbal onder zijn arm. 'Wil je met me voetballen?'

Normaal gesproken is mijn antwoord: 'Vergeet 't maar, snotneus. Vandaag niet', zeker als mam er nog niet is om me van repliek te dienen en pap buiten gehoorsafstand in zijn studio zit. Maar ik krijg een idee. Voetballen met Charlie zou wel eens mijn entreekaartje voor Rufus' huis kunnen zijn.

'Oké, Charlie,' antwoord ik met een ondeugende grijns. 'Lijkt me leuk.'

Eenmaal in de tuin loop ik recht op de muur af. 'Ik ga eerst keepen, oké?'

Ik laat Charlie een paar keer scoren voordat ik mijn slimme plannetje in werking zet. 'Laten we iets nieuws proberen, goed?' stel ik voor. 'Ik weet dat je harder kunt schieten dan je nu doet. Je bent supersterk, toch?'

Charlie glundert. 'Tuurlijk ben ik dat,' zegt hij. Hij rent zo snel als zijn kleine beentjes hem kunnen dragen op de bal af, en schiet hem met een schreeuw de lucht in. Hij raakt de muur links van mijn hoofd. Ik raap de bal op en geef hem weer aan Charlie.

'Goed gedaan! Nu nog een keer, Charlie. Schiet hem zo hard en zo hoog als je kunt. Ja, neem maar een goeie aanloop en geef de bal een hele harde trap... Heel goed!... Doe nog maar een keer. Laat maar zien hoe hoog je kunt schieten.'

Deze keer komt de bal hoger, hij raakt de bovenkant van de muur. Ik volg hem met mijn ogen; hij lijkt midden in de lucht te twijfelen en tuimelt dan langzaam naar de andere kant van de muur. Yes! Stiekem bal ik mijn vuist voor deze overwinning.

'O, Charlie,' wijs ik hem terecht. 'Je hebt hem in de tuin van de buren geschopt. Nu moet ik omlopen om hem te gaan halen. Wat ben je toch een kluns.'

Charlie trekt een pruillip. 'Sorry, Rosie,' zegt hij. 'Ik deed het niet expres. Niet tegen mama zeggen.'

'Tuurlijk niet.' Charlie ziet er zo ongelukkig uit dat ik me een heel klein beetje schuldig voel, maar dat is het wel waard. 'Jij blijft hier terwijl ik hem ophaal, oké?'

Hij knikt en ik geef hem een vriendelijk klopje op zijn hoofd.

Misschien zijn kleine broertjes dan toch nog ergens goed voor.

4

Dé Rufus Justice

Voordat ik naar Rufus' huis loop, doe ik snel wat lipgloss op en strijk mijn pluizige haar glad met wat crèmegel. Eerlijk gezegd zou ik dit normaal gesproken niet doen als ik een bal uit de tuin van de buren ging halen, maar zeg nou zelf: Rufus is niet zomaar een buurman, of wel soms? Hij is een celebrity-buurman en dan mag je best een beetje je best doen.

Ik sta eerst een paar minuten bij hem op de stoep te hijgen voor ik durf aan te bellen. Mijn hart bonkt en ik voel dat ik rood ben aangelopen. Oh my God, oh my God, denk ik, het gaat echt gebeuren, nu ga ik hem echt ontmoeten. Ik heb mijn verhaal in gedachten eindeloos geoefend. Als Rufus opendoet, doe ik net alsof ik hem eerst niet herken. Ik speel dat hij me bekend voorkomt en dat me pas langzaamaan gaat dagen wie hij is. 'Ben jij niet Rufus Justice?' zeg ik dan,

33

en ik doe alsof ik verbaasd ben dat hij mijn nieuwe buurman is. Ik zeg iets vleiends en dan verontschuldig ik me
voor mijn stomme kleine broertje en vraag onze bal terug.
Hopelijk nodigt hij me uit om binnen te komen…

De deur gaat op een kier open. Ondanks dat ik het ver-
wachtte, schrik ik me toch kapot.

'Ello?' Er staat een lange, onvoorstelbaar knappe blon-
dine met een accent dat ik niet kan thuisbrengen.

'O, hallo,' zeg ik opgewonden. Wie is deze vrouw? Ik wist
niet dat Rufus een vriendin had. Daar gaat mijn ingestudeerde verhaal. 'Het spijt me eh… heel erg,' stamel ik. 'Ik
eh… woon hiernaast en heb mijn bal net over jullie muur
geschoten. Ik bedoel, dat heeft mijn broertje gedaan. Mag
ik binnenkomen en hem ophalen? Uit jullie tuin, bedoel ik?
De achtertuin, natuurlijk.'

De vrouw neemt me van top tot teen op (vooral mijn
kruin, eigenlijk, want ik reik niet hoger dan haar borst). Ik
voel me nogal geïntimideerd. Ze knikt (ze is waarschijnlijk
tot de conclusie gekomen dat ik ongevaarlijk ben) en doet
de deur verder open. 'Kom bienen,' zegt ze. Als ze praat lijkt
het alsof ze spint. 'Jij woont hiernaaste? Ik ben Isabella.'

'O, en ik ben Rosie,' zeg ik terwijl ik op mijn tenen probeer te staan, wat op sleehakken nogal lastig gaat. 'Nou
eh… woon je hier alleen?'

'Nee, iek woon hier met mijn vriendje.' Ze kijkt me met
een veelbetekenende blik aan, die zoveel zegt als: 'Mij hou
je niet voor de gek; wij weten allebei wie mijn vriendje is.'

Ik bloos. Ze moet niet denken dat ik een of andere groupie

ben, die wanhopig een glimp van Rufus probeert op te vangen. Ze slaakt een diepe zucht en leidt me de hal binnen. Ik vang een glimp van hem op in de woonkamer en mijn vlinders gaan wild tekeer. 'O!' zeg ik met gespeelde verbazing. 'Is dát je vriendje?' Mijn stem schiet van opwinding de hoogte in.

Isabella knikt. 'Ja,' zegt ze. 'Vil jij kenniesmaken?'

'Mag dat? Ik bedoel, als het niet erg is? Ik bedoel, ja graag.'

Isabella knikt nog eens. Ze laat me de woonkamer binnen, voordat ze naar boven verdwijnt en mij alleen met hem achterlaat. Rufus kijkt niet op. Hij zit op het randje van een enorme crèmekleurige bank met een Wii Nunchuk in zijn handen en zijn ogen aan een gigantisch plasmascherm gekluisterd. Hij is zó knap, hoewel misschien niet zo knap als op de poster aan mijn muur. Op mijn muur is hij gladgeschoren. En draagt hij geen bruine sokken met gaten.

Ik blijf even wachten tot hij iets zegt, maar hij kijkt niet op of om. Dan loop ik dapper op hem af. 'Ik ben Rosie Buttery, je nieuwe buurvrouw,' zeg ik. Ik hoop maar niet dat hij merkt dat ik nogal wankel op mijn benen sta. God mag weten waarom, maar ik heb stom genoeg de neiging om een van hun liedjes, dat ik maar niet uit mijn hoofd kan krijgen, te neuriën.

'Hi Rosie, leuk je te ontmoeten,' zegt Rufus, die me niet meer kan negeren nu ik recht voor zijn neus sta. Hij legt zijn Nunchuk neer en steekt zijn hand uit, met de palm naar boven. Hij zegt zijn naam er niet bij; het is wel duidelijk dat hij ervan uitgaat dat iedereen die al kent.

Ik weet niet zeker of hij mijn hand wil schudden of een high five wil geven, dus het eindigt ermee dat we elkaars hand half vasthouden, half tegen elkaar aan slaan, heel gênant. Nu bloos ik nog erger. Maar Rufus lijkt er niet mee te zitten.

'Nou eh… alles goed?' vraag ik. 'En o ja, welkom in onze straat.'

'Dank je,' zegt Rufus met een grijns. Hij vraagt mij niets, dus daar sta ik dan als een idioot te wachten. Ik heb me altijd al afgevraagd of Rufus Justice een artiestennaam is. Dat is het enige wat ik kan bedenken – de rest van mijn brein is één groot vacuüm. 'Dus… je heet echt Rufus Justice?' flap ik er uit.

'Ja, zo echt als maar kan,' zegt hij spottend. 'Mijn ouders zijn meneer en mevrouw Justice en ze hebben mij Rufus gedoopt.' Hij kijkt me aandachtig aan. 'En jij heet echt Buttery? Buttery! Dat lijkt me sterk.'

Ik word nog roder, voor zover dat mogelijk is. 'Ja, echt. Het is een superoude Engelse naam, van toen de Noormannen in 1066 kwamen binnenvallen. Ik heb de naam wel eens gegoogeld. Mijn familie heeft bij de slag bij Hastings gevochten en zo.'

'O, cool,' zegt Rufus. Zijn ogen glinsteren en hij grijnst ondeugend. 'Hé,' zegt hij terwijl hij naar me wijst, 'Voeren zij toen met een botervloot? Hij lacht om zijn eigen grapje.

Ik kan er niet om lachen. Als je Buttery heet moet je dit aan de lopende band aanhoren. Maar aangezien het Rufus

Justice is, zeg ik met een glimlach: 'Grappig. Heel slim. Echt een goeie.'

'Nou, val ik even met mijn neus in de boter met zo'n buurvrouw. Gelukkig maar dat je ouders je niet Marga hebben genoemd…! Wow, ik ga echt gesmeerd… nee, wacht, smeren is meer jouw ding!'

Die heb ik allemaal al eens gehoord. Een miljoen keer. Ik lach geforceerd. Pap zegt altijd: als ze grappen over je maken, doe er dan zelf een schepje bovenop. Dus ik zeg: 'Beter boter in je naam dan boter op je hoofd.'

Hij snapt hem niet, of misschien luistert hij gewoon niet. 'Nou, ik moet weer verder, miss Buttery,' zegt hij. 'Werk aan de winkel.' Hij wijst naar zijn Wii.

'O ja, tuurlijk.' Was dat het? Ik wil zeggen: 'Mag ik je telefoonnummer?' of 'Laten we een keer iets leuks gaan doen', wat ik tegen elke gewone nieuwe vriend of buurman zou zeggen, alleen hij is een rockster dus dat lijkt me niet echt op zijn plaats. Dus zeg ik: 'Nou, ik zie je wel weer…' en als hij gewoon blijft zitten, loop ik maar naar de hal om mezelf uit te laten.

De muren hebben nog steeds de modderbruine kleur die de Robsons erop hadden gekwakt. Niet echt de stijl van een rockster, denk ik. Ik heb de voordeur al geopend, als ik plotseling een idee krijg. Een briljant idee. Ik haal diep adem, draai me om en loop de kamer weer in. 'Sorry dat ik stoor,' mompel ik. Rufus gaat helemaal op in zijn spel en hamert als een gek op zijn gameconsole. Hij speelt een nogal lawaaierig drumspel. 'Ahum,' zeg ik, nu iets harder. Ik schraap mijn keel. 'Mag ik even.'

Rufus speelt een korte break zoals hij ook altijd op het podium doet en draait zich daarna naar me toe. 'Ja?' zegt hij. Hij kijkt enigszins geïrriteerd. 'Ik was net aan het winnen,' zegt hij opschepperig, 'wat ook wel mag als je medebedenker van het spel bent.'

'Wauw!' stamel ik terwijl ik nog eens bedenk hoe beroemd hij is. De beste drummer van het land! 'Eh... sorry dat ik je weer lastigval, alleen, ik zag die muren enne... mocht je een ander kleurtje willen... Mijn vader is schilder en behanger; hij kan vast een goed prijsje regelen, en hij woont ook nog eens om de hoek...'

'O ja?' zegt Rufus. 'Ik heb al een aantal offertes.'

'Geloof me, die kun je meteen weggooien. Hij is echt goedkoop én goed, hij is een echte kunstenaar. En hij houdt ook nog eens van Fieldstar. Als je wilt kan hij zelfs je logo schilderen.' Ai, dat was misschien een beetje te veel van het goede.

'Ik heb wel snel iemand nodig,' zegt hij. Hij lijkt wat meer interesse te hebben gekregen. 'Om je de waarheid te zeggen, krijg ik kotsneigingen van die muren. Ik had het eigenlijk al voor de verhuizing af willen hebben, maar met het nieuwe album en zo... Hoe dan ook, stuur hem straks maar even langs en dan heb ik het er wel met hem over.'

Pap is al met een andere klus bezig, maar hij zegt altijd dat hij geen klussen kan afslaan, plus: ik kan hem zo om mijn vinger winden. 'Cool,' zeg ik. 'Ik zal het doorgeven.'

Ik zwaai nog even naar Rufus en huppel de gang in.

Isabella is nergens te bekennen, dus ik roep 'Doei!' en laat mezelf uit. Pas als ik buiten sta, realiseer ik me dat ik Charlies voetbal totaal ben vergeten. Wat een pech. Nu moet ik wel terugkomen om hem op te halen.

5

Verfpotten en Uggs

'Goed nieuws, pap… Ik eh, heb min of meer beloofd dat jij Rufus' huis gaat schilderen,' zeg ik zenuwachtig als ik weer thuis ben. 'Ik hoop niet dat je het erg vindt.' Ik haal diep adem. 'O ja, en dat je het voor een speciaal prijsje doet. Hij wil dat je met een offerte langskomt.'

'Oké dan!' zegt pap zonder te aarzelen. Ik hoef me blijkbaar helemaal niet in bochten te wringen of hem om mijn vinger te winden of wat dan ook. Pap is helemaal niet boos. Integendeel zelfs. 'Dat doe ik maar al te graag,' zegt hij. Die andere klus is bijna afgerond en hij wil Rufus net zo graag ontmoeten als ik.

'Het lijkt me geweldig om voor een beroemdheid te werken,' zegt hij. 'Misschien komt het wel in zo'n *Bij celebrity's thuis*-rubriek in een tijdschrift te staan. En wie weet klopt Mick Jagger daarna wel bij me aan.'

Mam noemt pap altijd 'een onnozel groot kind', en dat is hij waarschijnlijk ook. Alleen zegt zij het alsof het iets slechts is, maar dat is het niet. Mam is van huis uit verstandig maar saai. Ik kan me haar nauwelijks als kind voorstellen, en als puber al helemaal niet. Ze vond het waarschijnlijk heerlijk om huiswerk te maken en ging vast uit eigen beweging naar bed, met een kop warme chocola en een studieboek Latijn. Het is me een raadsel wat pap en mam ooit heeft samengebracht – en dat mag wat mij betreft zo blijven.

'Fantastisch, pap,' zeg ik. 'Ik denk dat hij je wel ziet zitten.'

***

Pap ziet er triomfantelijk uit als hij bij Rufus vandaan komt. 'Maandag begin ik,' kondigt hij aan. 'Ik ga de hele benedenverdieping doen. Hij vond al mijn ideeën geweldig.'

Mam trekt een wenkbrauw op. 'Ah,' zegt ze. 'Je bedoelt dat je weer te weinig in rekening brengt? Jezelf in de uitverkoop doet?'

'Nee,' zegt pap. 'Ik ging alleen lager zitten dan de anderen. Noem het een vriendenprijsje.' Hij knipoogt naar me.

Mam fronst haar wenkbrauwen. 'Als hij zich dat huis met de huidige prijzen kan permitteren, moet hij miljonair zijn,' zegt ze geërgerd. 'Hij heeft echt geen korting nodig. En hij is geen vriend van je. Je hebt hem pas één keer ontmoet, vijf minuten geleden.'

'Spelbreker,' bromt pap binnensmonds. 'Nou, we zouden

heel goed vrienden kunnen worden. En hij is al onze buurman. Je weet maar nooit wanneer je iemand nodig hebt
om op je huis te passen of de kat eten te geven als je met
vakantie bent.'

'We hebben alleen geen kat,' zegt mam.

'Bij wijze van spreken,' zegt pap. 'Wat niet is, kan nog
komen.'

'Ik wil geen kat, ik wil een hond!' zegt Charlie. 'Mogen we
alsjeblieft een hond?'

Mam schudt beslist haar hoofd. 'Kijk nou wat je weer hebt
veroorzaakt!'

'Alsjeblieieieft…' jammert Charlie.

'Nee!' zegt mam. 'En daarmee uit.'

Charlie trekt een chagrijnig gezicht. 'Het is niet eerlijk,'
klaagt hij en hij slaat zijn armen over elkaar.

'Sorry, ventje,' zegt pap. 'Het leven is nu eenmaal niet altijd eerlijk.'

Dat is zijn favoriete uitdrukking. Als het leven eerlijk was,
zouden zijn schilderijen in het Tate Modern hangen en zou
Arsenal elk jaar landskampioen worden.

***

Als ik de volgende ochtend naar school ga, ben ik zwaar
teleurgesteld dat ik pap niet kan assisteren bij het schilderen van Rufus' huis. Ik heb nooit enige aandrang gevoeld
om te helpen, maar het vooruitzicht van emmers water
sjouwen en behang afkrabben is opeens heel aanlokkelijk.

42

'Ik kan je hulpje zijn,' probeer ik voor de derde keer. 'Het is een goede werkervaring, toch?'

Pap schudt zijn hoofd. Hij belooft dat ik na school een uurtje mag langskomen als ik me nuttig maak en meteen daarna aan mijn huiswerk begin. Sky, die nog steeds een beetje pissig is dat ik zonder haar bij Rufus ben langsgegaan, mag ook komen, zolang ze maar meehelpt. En we mogen Rufus niet lastigvallen. Ik nodig Vix ook uit. Ze zegt dat ze even langswipt, als ze tijd heeft.

Ik kan de hele dag aan niets anders denken – en over niets anders praten. 'Wat zal ik aantrekken?' vraag ik in de lunchpauze aan Vix. 'Ik wil niet dat er verf op mijn lievelingskleren komt, maar ik kan moeilijk met versleten jeans en een uitgelubberd shirt aan komen zetten, of wel soms? Helemaal niet als die Isabella elk moment tot in de puntjes verzorgd kan komen binnenlopen.'

'Het maakt niet uit,' zegt Vix. Ze klinkt geïrriteerd. Toegeven, ik heb het al tien keer gevraagd. 'Je gaat je vader helpen met schilderen, je gaat niet naar een concert of een feest. En je ziet er trouwens altijd leuk uit.'

'Ja, weet ik ook wel, maar we hebben het hier over Rúfus Jústice. Ik heb een hele leuke schildersbloes op de markt gezien, die zou perfect zijn...'

'Misschien is hij niet eens thuis.'

'Dat is-ie wel,' zeg ik. Dat is 'm geraden ook!

School is nog niet afgelopen, of ik sta al buiten het schoolhek – als een paard bij de start van *The Grand National*, maar dan met kortere beentjes en veel glanzender haar (ik

43

heb er de hele dag antipluiscrème in gesmeerd). Vix kan me nauwelijks bijhouden. 'Loop eens wat langzamer! Ik krijg pijn in mijn zij!'

'Sorry Vix, maar ik kan niet wáchten tot ik weer een praatje met Rufus mag maken. En ik moet me thuis nog omkleden, ik moet pap helpen én huiswerk maken, en dat allemaal voor het avondeten. Weet je zeker dat je niet wilt langskomen?'

Vix zucht. 'Oké, een paar minuutjes dan. Maar ik blijf niet. Ik weet niet of Rufus wel zo graag de halve straat over de vloer heeft.'

'Hij is gewend aan publiek. Hij is een rockster, weet je nog. Niet zo verlegen, Vix.'

'Ik ben niet verlegen.'

Dat klopt, Vix is niet verlegen – als ze eenmaal haar mond opendoet. Ze is alleen stiller dan Sky en ik. Niet zo druk, wat meelevender. Dat is een van de redenen waarom ze zo'n goede vriendin is.

Een half uur later staan Sky, Vix en ik bij Rufus op de stoep. Ik heb mijn favoriete skinny jeans aan en het topje van mijn verjaardagsfeest. Dat zit al vol met verfachtige kleurvegen, wat een goede camouflage is voor als ik er echte verf op knoei. Sky heeft een nauwsluitend tricotjurkje aan, terwijl Vix in dezelfde kleren is gekomen als waarmee ze op school zat, wat me een beetje irriteert, maar ik zeg niks. Ik wil alleen niet dat Rufus denkt dat we een stel suffe schoolkinderen zijn.

'Nou, daar gaat-ie,' zeg ik met mijn vinger op de deurbel.

De vlinders in mijn buik gaan niet zo tekeer als de vorige keer, maar bij de gedachte aan Rufus word ik wel een beetje trillerig. Sky houdt het bijna niet meer uit. Ze staat van de ene op de andere voet te wippen als een kleuter die naar de wc moet.

De deur gaat open. Het is mijn vader. Sky ziet er teleurgesteld uit.

'Hallo, meiden,' zegt hij. 'Welkom bij Chez Rufus.' Hij gaat ons voor door de hal. De hele benedenverdieping is afgedekt met plastic en overal staan verfpotten met kwasten en verfrollers. 'Vandaag valt er voor jullie nog niet zo veel te doen,' zegt hij. 'Jullie kunnen me helpen bij het uitproberen van verschillende kleuren. Kijken wat het beste staat.' Hij neemt onze outfits op en zegt grijnzend: 'Oké, ik heb nog wel een paar overalls liggen.'

We horen iemand de trap af komen. Rufus verschijnt, in een ochtendjas – om vier uur 's middags – en met Uggs aan zijn voeten. Het ziet er niet uit. 'Gaat-ie, Bob?' vraagt hij. Bob? Niemand noemt mijn vader Bob. Het is altijd Robert, of Robbie, voor oma.

Pap knikt. 'Alles loopt gesmeerd, Rufus.' Hij gebaart naar ons. 'Mag ik je voorstellen aan mijn assistentes? Mijn dochter Rosie heb je al ontmoet. Dit zijn haar vriendinnen, Sky en Victoria. Ze wonen ook in deze straat.'

Sky gaapt Rufus met open mond aan.

Vix steekt haar hand uit en Rufus pakt hem vast. 'Vix,' zegt ze met een glimlach.

'Leuk om jullie te ontmoeten,' zegt hij. Hij geeft me een

knipoog en mijn maag maakt een salto. 'Veel plezier, meiden.' Daarna sloft hij naar boven.

'Je kunt je mond wel weer dichtdoen, Sky,' zeg ik. 'Hij is weg.'

'Oh my God,' zegt ze. 'Het was 'm! Hij is in het echt nog veel knapper!'

Los van de Uggs dan, denk ik.

Isabella komt de keuken uit en steekt haar hoofd om de deur. 'Villen jullie iets drienken?'

'Ja, graag,' zegt Sky, die haar vol ontzag aanstaart. 'Ik heb een hele droge mond.'

'Zal ik even helpen?' biedt Vix aan. Ze loopt Isabella achterna de keuken in.

Ongeveer tien minuten later komt Vix de kamer in met een dienblad met glazen verse jus d'orange en ijsblokjes. 'Ik geloof dat ik maar naar huis ga,' zegt ze.

'Nu al? Je bleef eindeloos lang weg,' zeg ik. 'Wat heb je al die tijd gedaan?'

'Ik stond met Isabella te praten.'

'O,' zeg ik verbaasd. 'Waarover?'

'Ze komt uit Tsjechië. Daar was ik vorig jaar met vakantie, weet je nog? We hadden het erover hoe mooi Praag is, en ze vertelde waar ik echt naartoe moet, plekken waar geen toeristen komen.'

'O, oké.'

'En ze vertelde me over haar werk. Heel interessant.'

'Is ze model? Dat moet haast wel.'

'Nee, dat vindt ze heel irritant: dat denkt iedereen altijd.

46

Ze volgt een studie om lerares te worden. Ze is hier om Engels te leren en kon als au pair aan de slag bij iemand die Rufus kent. Zo hebben ze elkaar ontmoet.'

'Dat wist ik niet.'

Vix haalt haar schouders op. 'Ze is echt heel aardig. Je moet eens met haar praten.'

'Zal ik doen,' zeg ik. Maar ik praat liever met Rufus. Als ik de kans krijg.

6

Een opwindend voorstel

De weken daarna breng ik iedere middag minstens een uur in Rufus' huis door, en soms ook nog een paar uur in het weekend. Ik zie het huis voor mijn ogen veranderen in een villa die een rockster eer aandoet, met crèmekleurige hoogglans verflagen (sommige door mij aangebracht), opgewreven houten vloeren en hoogpolig tapijt.

Ik ben verbaasd hoe goed pap en Rufus het met elkaar kunnen vinden. Verbaasd, en eerlijk gezegd ook een beetje jaloers. Rufus komt elke keer voor een praatje binnenlopen – hij lijkt weinig uit te voeren als hij thuis is – maar in plaats van met mij te praten, staat hij met pap te praten. Ze hebben zo veel gemeenschappelijke interesses: kunst, oude auto's, muziek. Rufus houdt van bands uit de jaren zeventig, toen hij nog niet eens geboren was, de bands die pap mij altijd probeert op te dringen. Misschien moet ik

48

door de wijde pijpen en die idiote kapsels heen kijken en ze een kans geven.

Het valt nog niet mee om een praatje met Rufus te maken. We hebben niet veel gemeen, behalve dat we het allebei graag over Rufus Justice hebben. Ik begin het idee te krijgen dat hij weinig interesse in me heeft. Hij behandelt me als zijn kleine zusje, hij zit me te stangen en noemt me zelfs 'Kiddo' (braak) of nog erger: 'Ukkie' - niet echt de manier waarop ik gezien wil worden. Door niemand, en al helemaal niet door hem. Natuurlijk heb ik het hier met niemand over. Op school denkt iedereen dat Rufus en ik dikke maatjes zijn. Ik heb een ellenlange lijst van mensen die zijn handtekening willen, wat nogal gênant is, en zelfs de meisjes die hiervoor nauwelijks met me praatten, willen opeens allemaal vriendinnen met me zijn. En iedereen zit ook de hele tijd te vissen naar smeuïge verhalen. Ik zeg voortdurend dat het niet eerlijk zou zijn als ik zijn geheimen zou verklappen, maar de waarheid is dat ik geen enkel geheim ken! Afgezien van het feit dat hij in huis Uggs draagt en van stomme quizprogramma's houdt. Ja, de grootste verrassing aan Rufus is dat hij nogal een nerd blijkt te zijn.

***

Tegen het einde van het schooljaar is de klus bijna afgerond. Er is nauwelijks iets voor me te doen, behalve kijken hoe de verf opdroogt. Letterlijk. Maar ik blijf langsgaan. Ik kan niet wegblijven omdat ik het leuk vind om deel uit te maken van Rufus' leven, zelfs al ben ik niet een echte vriendin en heb ik nog steeds geen andere bandleden ontmoet. En ik wil ook nog graag kaartjes voor een paar zomerfestivals lospeuteren. Fieldstar speelt dit jaar op elk festival. Misschien, als ik me héél, héél goed gedraag, mag ik er van pap en mam eentje bezoeken.

Op de allerlaatste zaterdag dat er wordt gewerkt, komt Sky langs om het resultaat te bewonderen. Iedere kamer, zelfs de hal, is gestuukt, behangen en geschilderd. Pap loopt alles na en brengt hier en daar nog een lik verf aan. Over niet al te lange tijd kunnen de schilderijen en de spiegels weer worden opgehangen en de meubels weer op hun plaats gezet. Dan kan Rufus zijn Wii weer naar beneden halen en op zijn favoriete bank neerstrijken en heb ik geen enkele reden meer om langs te komen. Behalve als ik word uitgenodigd, natuurlijk.

'Wow, het ziet er geweldig uit,' zegt Sky. 'Ik ken het nauwelijks terug.'

'Ik weet het,' zeg ik. 'Als de Robsons nu op de stoep stonden, zouden ze denken dat ze verkeerd zaten.'

'Ik ben blij dat je het mooi vindt,' zegt pap vol trots. Hij legt zijn kwast neer en veegt zijn handen aan zijn overall af. 'Ik ga even een kleine theepauze houden, ik ben om vijf uur terug.'

'Oké, pap,' zeg ik. Ik draai me naar Sky toe. Nu kan ik haar eindelijk die ene, brandende vraag stellen. 'Wat heb jij in godsnaam aan?' Ze draagt een afzichtelijke perzikkleurige flodderjurk, waarin ze twee keer zo dik lijkt en twee keer zo klein. 'Heb je die niet van je moeder voor je verjaardag gekregen? Ik dacht dat je hem verschrikkelijk vond.'

'Dat is ook zo. Ik vind hem ook afschuwelijk. Het is een wanstaltig geval. Mam wilde weten waarom ik hem nooit droeg. Dus om haar een plezier te doen, heb ik hem vandaag aangetrokken. Dat denkt zij tenminste. Eigenlijk heb ik hem aangetrokken omdat ik wist dat ik zou gaan helpen. Dus zorg alsjeblieft dat er zo veel mogelijk verf, gips en vuiligheid op komt, zodat ik hem nooit meer aan hoef!'

Ik giechel. 'Meen je dat?' Ik pak een kwast en breng aarzelend een likje verf op Sky's jurk aan.

'Ja, ik meen het echt! Meer!'

'Oké dan!' Ik loop naar de verfkist van pap en pak de breedste kwast die ik kan vinden. Ik houd hem even in de lucht voor Sky, voordat ik hem in de verfpot doop en er daarna een snelle zwaaibeweging in haar richting mee maak. Haar hele jurk, zelfs haar haar en haar neus, zitten nu onder de rode verfspatten. Sky giechelt, pakt ook een kwast en steekt hem in dezelfde pot. Ze komt op me af, bespettert mijn overall en maakt een veeg op mijn wang.

'O! Wat doe jíj nou?!' zeg ik. 'Nu is het oorlog!' Ik pak mijn kwast, trek een streep midden over haar neus en zet een hindoe-achtig stipje tussen haar ogen.

Sky grijnst ondeugend en komt met haar kwast op me af, alsof het een mes is. Ze maakt twee zorgvuldige steekbewegingen bij mijn borst zodat er grote, onregelmatige cirkels op de borstzakken van mijn overall komen te zitten. 'Leuke tepels,' zegt ze. We moeten zo hard lachen dat we bijna geen lucht meer krijgen. Volgens mij plas ik zo in mijn broek. Sky staat voorovergebogen en houdt haar buik vast. 'Het doet gewoon pijn,' zegt ze hijgend. 'Je ziet er zo grappig uit!'

'Je zou jezelf eens moeten zien!' zeg ik tegen haar. 'Ha ha ha... Oh my God, nee toch! Shit!' Nu pas zie ik de muur, de muur die vanmorgen net een laatste crèmekleurige laag matte verf heeft gekregen. Hij is bedekt onder een waaier van rode spetters, die langzaam naar de vloer druipen. 'Pap vermoordt ons als hij dit ziet! Waar is de muurverf? Ik moet er snel overheen verven! Of wordt het dan roze? Shit! Wat moet ik doen?'

Maar voordat ik iets kan doen, komt Rufus binnengeslenterd. 'Ziet er goed uit,' zegt hij, met een snelle blik op de muur. 'Vooral die rode accenten.' Hij kijkt met een spottend lachje van mij naar Sky. 'Staat jullie ook niet slecht.' Sky bloost – hoewel het moeilijk te zien is onder al die rode verf. 'Je vader heeft er niets over gezegd, maar het bevalt me eigenlijk wel. Het is heel abstract, een beetje expressionistisch.'

'Meen je dat?' vraag ik. Ik weet nooit of Rufus het sarcastisch bedoelt.

'Ja, het doet bijna een beetje oosters aan, op een bepaalde manier. Het creatieve zit kennelijk in de genen, miss Buttery. Je vader is een genie, hij is veel te goed voor een huisschilder. Hij heeft me een paar van zijn schilderijen laten zien. Ik loop er al een tijdje over na te denken, maar dankzij deze kamer weet ik het zeker. Als hij straks terugkomt ga ik hem vragen of hij de cover van ons volgende album wil ontwerpen.'

Oh my God. Pap zal een gat in de lucht springen. Het is een lang gekoesterde droom van hem om met zijn werk op een album te staan. Het liefst een ouderwetse platenhoes, maar een cd-hoesje is ook niet verkeerd. En Fieldstar brengt hun werk soms op grammofoonplaten uit. 'Daar zal hij superblij mee zijn,' zeg ik.

'En nu je hier toch bent, wil ik je meteen een gunst vragen.'

Mijn maag maakt een sprongetje. Wat zou hij me gaan vragen? Of ik wil blijven langskomen, ook al is het schilderwerk klaar, omdat hij me anders mist? Om zijn styliste te worden? Of achtergrondzangeres van Fieldstar?

'Mijn broertje komt in de zomervakantie logeren,' zegt hij. 'Hij is ongeveer net zo oud als jij, waarschijnlijk iets ouder. Hoe oud ben je ook alweer, dertien?'

Ik kan wel door de grond zakken. 'Ik ben veertien,' zeg ik. En driekwart, wil ik er nog aan toevoegen, maar als ik dat zeg klink ik waarschijnlijk alleen nog maar jonger.

'Oké,' zegt hij. 'Max is vijftien. Cool. Misschien kun jij je een beetje over hem ontfermen, hem mee de stad in nemen en zo, naar de plekken waar jij met je vrienden heen gaat. Een beetje samen optrekken. Zie je dat zitten?'

Sky werpt me een jaloerse blik toe. 'Geluksvogel,' mimet ze.

'Tuurlijk,' zeg ik zonder twee keer na te denken. 'Lijkt me hartstikke leuk.' Ik zie Max al helemaal voor me: een miniversie van Rufus, minder lang en misschien niet zo gespierd, maar met dezelfde scherpe gelaatstrekken en dezelfde wilde haardos. Net als Rufus is hij ongelofelijk knap en getalenteerd. Ik kan niet wachten om hem te ontmoeten.

'Cool,' zegt Rufus. 'Fijn, dan valt hij mij niet lastig. Hij komt volgende week zaterdag. Ik bel je wel als hij er is.'

7

Dit is Max Justice

Max lijkt helemaal niet op Rufus, blijkt. Echt totaal niet. Hij staat me op de stoep met een enorme grijns verwachtingsvol aan te kijken. Ik staar hem aan, bestudeer zijn gelaatstrekken en vergelijk ze aan de hand van een onzichtbare liniaal met die van Rufus, zoals pap doet als hij een portret schildert. Het verschil is enorm, wat bizar is, want het zijn broers en ze zouden wel wat DNA gemeen moeten hebben. Max heeft donkerder ogen en dikker, krullender haar. Hij heeft een rond gezicht en een vormeloze neus. Je zou nooit zeggen dat ze familie van elkaar waren. Of Max zou geadopteerd moeten zijn, of misschien heeft mevrouw Justice de verkeerde baby uit het ziekenhuis meegenomen… Maar daar kun je bij een eerste ontmoeting maar beter niet naar vragen, of wel soms? Ik heb hem nog niet eens begroet.

Ik schraap mijn keel en probeer mijn teleurstelling te verbergen. 'O, hoi, ik ben Rosie.'

Hij heeft niets door. Hij staat als een idioot naar me te grijnzen. 'Hoi Rosie, ik ben Max. Hartstikke leuk je te ontmoeten.'

'Ja, vind ik ook.'

'Leuke straat is dit.'

'Ja,' zeg ik, nu minder gespannen. Hij komt warm, vriendelijk en relaxed over. 'Waar heb je zin in?' De enige instructies die Rufus heeft gegeven, is dat ik me 'over hem moet ontfermen' – we hebben het over zes weken, en die gaan nu in. 'Ik kan je meenemen naar de stad, of we kunnen hier een beetje rondhangen. Of ergens koffie gaan drinken of zo. Zeg het maar.'

'Ik wil Camden Town wel zien,' zegt hij. 'Ik ben hier nog nooit geweest. Misschien kun je me een rondleiding geven?'

'Oké,' zeg ik vrolijk. Als ik ergens iets vanaf weet, is het wel van Camden. 'Waar wil je mee beginnen?'

'Ik wil wel naar de markt. Die is cool, heb ik gehoord.'

'Oké,' zeg ik. 'Welke? Er zijn er zes… Ik zal het je laten zien.' We beginnen te lopen. 'Ben je er echt nog nooit geweest?' Ik weet niet wat ik hoor. Is niet iédereen naar Camden Market geweest? Het is de grootste toeristische trekpleister van Londen. Als ik in Frankrijk of Spanje op vakantie ben en ik vertel waar ik vandaan kom, kennen ze het altijd en zijn ze meestal zwaar onder de indruk. 'Waar heb jij al die tijd gezeten?'

'In Kent,' zegt hij. 'Ik wilde er al veel eerder naartoe, maar het kwam er nooit van. Hoewel een paar vrienden van me wel eens in het weekend zijn geweest. Ik kon niet wachten tot Rufus zou verhuizen zodat ik hier een logeeradresje zou krijgen.'

We komen bij Camden Road aan en lopen langs de af- haalrestaurantjes waar ik van mam wel eens eten mag halen, langs de krantenkiosk, de skateboardzaak en het treinstation, dat bijna nooit open is vanwege eindeloze werkzaamheden aan het spoor. Het is een mooie dag en het terras bij The Grand Union Bar zit vol met vrienden die voor een vroege lunch – of een laat ontbijt – bij elkaar komen. Een paar meter verderop zit de apotheek waar de meeste patiënten van mam hun recepten ophalen, en dan komt Swank Hair Design, de kapper waar pap zich laat knippen en waar Rufus, op zijn aanraden, nu ook heen gaat. Het is niet ongebruikelijk dat je in het voorbijgaan door het etalageraam naar binnen kijkt en een acteur of muzikant in een van de kappersstoelen ziet zitten. Ik weet niet zeker of deze plekken echt de moeite waard zijn om er aandacht op te vestigen. Voor mij zijn het herkenningspunten, maar voor iemand die op bezoek is, zijn ze waarschijnlijk niet zo interessant. Ik werp een zijdelingse blik op Max. Hij heeft niet echt oog voor de omgeving. Zijn aandacht is op mij gericht. Ik voel me er een beetje ongemakkelijk onder.

'Hoe komt het dat je de hele vakantie hier bent?'

'Mijn ouders brengen de zomer in Italië door, ze hebben daar een huis. Meestal ga ik mee, maar het kan nogal saai worden, dus ik stelde voor om dit jaar bij Rufus te logeren, nu hij een echt huis heeft met een stuk of wat logeerkamers.'

'Oké,' zeg ik. 'Kunnen jullie het een beetje met elkaar vinden?'

'Ja hoor, alleen is hij zes jaar ouder, dus we hebben niet echt veel met elkaar opgetrokken. Tegen de tijd dat ik aan de middelbare school begon, ging hij zo'n beetje het huis uit.'

'Ik ben ook een stuk ouder dan mijn broertje,' zeg ik. Ik zeg maar niet dat ik me niet kan voorstellen ooit een vakantie met Charlie te willen doorbrengen. 'Hé, hoe is het om een rockster als broer te hebben?'

Max haalt zijn schouders op. 'Kweenie. Voor mij is hij gewoon Rufus, mijn grote broer. Hij speelt al zo lang ik me kan herinneren in bands.'

'Ja, maar het moet best vreemd zijn om hem op tv en in tijdschriften te zien, met allemaal groupies om hem heen. Best tof, toch?'

'Het zal wel. Ik weet niet beter. Het is wel een afknapper als mensen mij alleen maar willen leren kennen om bij hem in de buurt te kunnen komen. Dat gebeurt aan de lopende band.'

'Dat geloof ik graag,' zeg ik, schuldbewust.

'Ik merk het altijd meteen.'

'O ja?' O god, denk ik, zou hij mij verdenken? Zou hij denken dat ik alleen maar met hem op stap wil omdat hij Rufus' broer is? Daar komt het namelijk wel op neer: als het iemand anders was geweest, had ik mijn plannen niet zo snel opgegeven. Ik verander snel van onderwerp. 'Enne, speel jij in een bandje?'

'Nah.' Max lacht. 'Ik ben wel eens achter zijn drumstel gaan zitten, maar ik was hopeloos. Kon totaal geen ritme houden. Met de gitaar werd het ook al niets, ook al heb ik een tijdje les gehad. Volgens mij is Rufus de enige in de familie met muzikaal talent.'

'O,' zeg ik. Hij lijkt echt totáál niet op zijn broer. 'Waar hou jij dan van?'

'Stripboeken lezen. En skateboarden.'

'Er is vlak bij Camden Road een hele coole skateboard-shop, kunnen we wel heen als je wil? We zijn er net langs gelopen. En vlak bij Holloway zit een skatepark.'

'Ja, dat zei Rufus al. Daar wil ik heel graag heen.'

'Mmm, misschien een andere keer.' Ik heb me bedacht; ik heb nog nooit op een skateboard gestaan. Ik heb wel eens een paar minuten gerolschaatst. Zes weken later mocht mijn arm eindelijk uit het gips.

'Waar hou jij van?' vraagt hij.

'Muziek luisteren, naar de markt gaan, als het mag naar concerten. Dat soort dingen. Met mijn vriendinnen op stap. Die zul je nog wel ontmoeten.'

'Oké,' zegt Max. 'Lijkt me leuk.'

We zijn nu in hartje Camden Town beland en lopen recht op het metrostation af. 'Moet je zien,' zeg ik terwijl ik naar rechts wijs, naar het lelijkste gebouw dat je je kunt voor-stellen. 'Dat is Sainsbury's. Oerlelijk, vind je niet? Kennelijk is het door een of andere beroemde architect ontworpen. Ik heb toeristen met reisgidsen er foto's van zien maken. Bizar, hè?'

Max knikt. 'Ik zou je nog niet eens kunnen zeggen hoe de supermarkt bij mij in de buurt eruitziet.'

'En daar links is The World's End-pub, die zit altijd vol met studenten, en daaronder zit The Underworld. Daar spelen een heleboel bands, vooral gothic bands.' Ik krijg de smaak te pakken, ik voel me net een echte reisleider. Alleen nog zo'n grote papaplu erbij en ik kan toeristen geld gaan vragen. 'Daar is het station... we moeten even oversteken. Voorzichtig... We zijn nu op Britannia Junction; het is alleen maar een kruispunt, maar het komt wel in een liedje van Blur voor. En dat is The Electric Ballroom, een andere beroemde uitgaansplek.'

'Heeft Rufus daar niet gespeeld?'

'Ja, dat klopt. Een paar jaar geleden, toen Fieldstar nog niet heel bekend was. Ik was nog te jong om erheen te gaan. Ah, daar begint de markt. Dit is nou Camden Market, het nieuwe gedeelte. Hier kun je T-shirts en zo vinden. Wil je gaan kijken?'

'Tuurlijk,' zegt Max. 'Als jij het goed vindt. Ik kan wel een nieuw shirt gebruiken.'

'We moeten wel bij elkaar in de buurt blijven, het is superdruk.'

'Oké dan,' zegt hij met een grijns.

We lopen langzaam over de markt en stoppen hier en daar om wat rond te neuzen. Bijna alle stalletjes verkopen hetzelfde: T-shirts bedrukt met bandnamen en logo's, oude leren jassen en sieraden uit India. 'De andere markten zijn beter,' zeg ik verontschuldigend. Maar Max ziet er echt opgewonden uit, een beetje overweldigd zelfs. Best schattig. Ik ben helemaal vergeten hoe het is om Camden voor het eerst te zien. Ik moet mezelf eraan herinneren dat de meeste mensen saaie hoofdstraten gewend zijn, met altijd weer dezelfde winkelketens en gsm-shops. Die heb je natuurlijk ook in Camden, maar ze zitten vooral verderop, in de buurt van Mornington Crescent.

'Wat vind je van dat shirt?' vraagt hij. Hij wijst naar een stalletje dat T-shirts met striphelden verkoopt. 'Die ene blauwe die bovenaan hangt, met Judge Dredd erop?'

Ik heb geen idee wie Judge Dredd is en ik vind het T-shirt helemaal niks (er staat een vreemde gast met een masker op), maar dat ga ik niet zeggen. 'Ziet er goed uit,' zeg ik. 'Wat kost-ie?'

'Vijf pond maar. Ik denk dat ik 'm neem.' Hij vraagt aan de verkoper of hij het shirt naar beneden kan halen zodat hij het kan passen, en hij verdwijnt in een geïmproviseerd kleedhokje. Hij komt er een paar seconden later met het T-shirt uit. Het is nogal groot, maar dat lijkt hem weinig te kunnen schelen. 'Wat vind je, Rosie?'

'Hij staat je geweldig.' Het staat hem eigenlijk echt goed. Ik wacht terwijl hij afrekent. 'Zullen we nog verder lopen?'

Max knikt enthousiast. Uit de manier waarop hij met zijn armen zwaait en in zichzelf neuriet, kan ik merken dat hij het naar zijn zin heeft.

'Hé, Max.' Ik gebaar naar rechts. 'Hier was die grote brand van een paar jaar geleden. Het begon in die pub, waar alle celebs komen. Vanuit mijn huis kon je de vlammen en de rook zien. Het was best eng, vooral toen ze dachten dat de gasflessen zouden ontploffen. We werden bijna geëvacueerd.'

'Ja, dat weet ik nog. Het was op het nieuws.'

'Mijn vader dacht dat er opzet in het spel was. Hij zegt dat het expres is aangestoken zodat de grond een nieuwe bestemming kon krijgen. Er zit nu een nieuwe markt. Daar kunnen we misschien ook nog een keer heen, als we naar het kanaal gaan. Ik neem je nu mee naar het Lock-gedeelte en de Stables-markt. Dat zijn de beste markten.'

'Oké,' zegt Max. 'Cool.'

We lopen langs eindeloos veel winkels waar schoenen en tweedehandskleding worden verkocht, en langs cafés, restaurants en bars met liveoptredens. De melodieën en ritmes drijven de straat op en vormen samen één grote, lawaaierige mix van geluiden. Ik zie het altijd als de soundtrack van Camden Town. Max is nogal onder de indruk van de winkelgevels, die allemaal in felle kleuren zijn geschilderd – sommige hebben zelfs gigantische laarzen of schedels of zelfs vliegtuigen op het dak staan – en van de mensenmassa waar we doorheen zigzaggen. Er lopen punks rond met gestreepte hanenkammen, rasta's met dreadlocks, bleek opgemaakte gothics in korsetten en indies met eyeliner en superstrakke skinny jeans. Alles vrolijk door elkaar, net als de muziek. In Camden Town lijkt niemand misplaatst. Ik heb wel eens een gast over straat zien lopen met zijn onderbroek over zijn broek heen, net als Superman. Niemand keek op of om.

We lopen onder de spoorbrug door, waar Camden High Street met Chalk Farm Road samenkomt, en zijn nu bij Lock Market aanbeland, op een steenworp afstand van Stables Market.

'Wat ruik ik toch?' vraagt Max, terwijl hij achterdochtig de lucht opsnuift.

Ik giechel. 'Wat denk je?'

'Nee! Wordt hier gewoon op straat geblowd?'

'Yep,' zeg ik. Ik ben er zo aan gewend dat ik er helemaal niet bij stilsta dat de meeste mensen daarvan opkijken. 'En beneden aan het water. De politie probeert er iets aan te doen, maar het lukt ze niet echt. Soms komen ze met hasj-honden het station in, maar na een paar weken is alles weer bij het oude.'

Max spert zijn ogen open. 'Deze plek is echt supercool,' zegt hij.

'Ja, misschien heb je gelijk. Maar ik weet niet beter.' Net zoals jij het normaal vindt dat je broer een rockster is, denk ik bij mezelf. 'Hé, heb je trek?'

'Eigenlijk wel. Zit hier een goeie tent in de buurt?'

'Ha! Zeker weten! Volg mij maar.' Ik leid hem de markt in, door een doolhof van stalletjes. 'Zeg het maar.' Links en recht van ons, zo ver het oog reikt, staan eetstalletjes van elke keuken die je maar kunt bedenken. Je kunt hier vegaburgers krijgen, falafel in pitabroodjes, zelfgebakken taarten, Italiaans ijs en zelfs Poolse delicatessen. Er worden biologische hotdogs verkocht, en stalletjes met gerookte-zalm-sandwiches staan gebroederlijk naast Marokkaanse stalletjes die couscous en tajines serveren en Chinese verkopers met noedels en roerbakgerechten. Als je liever iets pittigers hebt, is er Indiase curry of Mexicaanse chili con carne. En als je een gezondheidsfreak bent, kun je sla eten en sinaasappelsap drinken dat voor je ogen wordt geperst. Iedere verkoper waar we langs lopen probeert onze aandacht te trekken, de een roept nog harder dan de ander: 'Proeven? Wil je proeven?'

'Wauw,' zegt Max. 'Te veel keus. Misschien wat noedels met kip?'

'Goed plan,' zeg ik. 'Ik geloof dat ik dat ook neem.'

'Ik ga het wel halen. Ik trakteer. Als dank voor de rondleiding.'

'Meen je dat? Zeker weten? Bedankt, Max.'

Gezeten op een stoeprand slurpen we onze noedels op en praten over vrienden en wat we na school willen gaan doen. Normaal gesproken eet ik geen noedels (of spaghetti) in het bijzijn van een jongen, want dat eet zo moeilijk en ik zou me opgelaten voelen. Maar ik ben niet bezig indruk op Max te maken, dus het maakt me niet uit als er saus op mijn shirt komt, of als het langs mijn kin druipt. Ik voel me op mijn gemak bij hem, zoals ik me bij mijn vriendinnen voel. Met hem is het veel makkelijker praten dan met zijn broer; hij kletst over van alles – en niet alleen maar over zichzelf.

Als we klaar zijn, struinen we nog wat over de markt. Ik neem Max mee langs de antiekstalletjes en meubelwinkels waar je futuristische sofa's uit de jaren zestig kunt kopen, in de vorm van schommels of gigantische rode lippen. Ik laat hem de beste tweedehandskledingzaken zien en hij stroopt tweedehandsboekwinkels af naar collector's items van zijn favoriete stripboeken. Langzaamaan beginnen we allebei moe te worden. Er zijn gewoon te veel indrukken, te veel kleuren en er is te veel lawaai.

'We kunnen een andere keer teruggaan,' zeg ik, nadat ik heb voorgesteld om naar huis te gaan. 'Het is te veel om allemaal op één dag te doen.'

'Ja man, dit is een zintuiglijke overdosis,' zegt hij. 'Maar ik vond het echt een coole dag!'

'Ik ook,' zeg ik. En ik meen het echt. Op weg naar huis bedenk ik hoe leuk het is om er een nieuwe vriend bij te hebben om de hele zomer mee op te trekken. Ik kan niet wachten tot ik hem aan Sky en Vix kan voorstellen.

8

Het celebrity-etentje

Ik word met een glimlach wakker. Wat niet erg vaak voorkomt. Meestal ben ik humeurig, maar ik heb bijna twaalf
uur geslapen en ik voel me supergoed. Vrijdag, de dag
voordat Max aankwam, was de laatste schooldag, dus dit
is niet alleen de eerste officiële dag van de zomervakantie
– wat betekent dat ik vandaag, morgen en in de nabije toe-
komst níét naar school hoef – maar ook heb ik gisteren de
béste avond ooit gehad. Vlak nadat we van de markt waren
thuisgekomen, belde Max of ik bij Rufus thuis wilde komen
eten. Daar was weinig overredingskracht voor nodig. Als
ik moet kiezen tussen dineren met een rockster en mams
'kookkunsten', dan weet ik het wel. Pap wilde ook per se
mee (al was hij niet uitgenodigd), zogenaamd alleen maar
omdat hij zo graag de schetsen voor de cd-hoes wilde laten
zien. Ik zei beslist dat hij die maar een andere keer moest

66

laten zien. 'Er komen alleen maar jonge mensen.'

Ik dacht dat het een gewone maaltijd zou worden, maar het bleek een echt etentje voor volwassenen te zijn, zoals mijn ouders ook organiseren, maar dan met toffere gasten. Er waren een paar bevriende muzikanten (niemand uit de band, jammer genoeg) en Isabella had een Tsjechische vriendin uitgenodigd, ook een au pair, die Ivana heette en bijna net zo knap was en zelfs nog langer dan zijzelf. Ik zat me af te vragen of ze soms net als barbies aan de lopende band waren geproduceerd. Ivana sprak nauwelijks Engels, dus we zaten voornamelijk naar elkaar te glimlachen en een beetje te gebaren.

Ik trek mijn dekbed nog wat hoger op en lig een paar minuten te denken hoe graag ik Sky en Vix erover zou willen vertellen, en hoe jaloers ze zullen zijn. Ik was tot na half twaalf gebleven, tot mam me (voor de derde keer) sms'te om te zeggen dat ik thuis móést komen, zelfs al was het vakantie. Spelbreker. Alles aan gisteravond was geweldig, zelfs het eten. Ik bedoel, ik dacht dat ik alleen maar van vis hield als er een knapperig korstje omheen zat en het met patat werd geserveerd, maar Isabella's visrecept was superlekker. Ik wilde niet al te gulzig overkomen, anders had ik zo om een tweede bord gevraagd.

'Dit is goddelijk,' zei ik. 'Eh... wat is het precies?'

'Zeebaarze,' antwoordde Isabella. 'Mette citroengras en gember en aardappellepuree.'

'Superlekker, hè?' zei Rufus, terwijl hij zijn vingers aflikte. 'Ongelofelijk toch, wat iemand uit een ingesloten land voor elkaar krijgt met onze geschubde vrienden hier.' Hij keek Isabella vol trots aan en sloeg zijn arm om haar heen.

'Nou, zeg dat wel,' zei ik instemmend, hoewel ik geen idee had wat hij bedoelde. Pas thuis, toen ik Tsjechië had gegoogeld, zag ik dat het niet aan zee lag. Zo ging het de hele avond: er werd over van alles gesproken waar ik niets vanaf wist: politiek en obscure bandjes en plekken waar ik nog nooit was geweest, maar ik werd er wel bij betrokken dus ik voelde me niet buitengesloten. Zelfs Rufus deed veel aardiger tegen me dan daarvoor. Hij vertelde me hoe het leven op een Fieldstar-tour eruitzag: in een volgestouwde, stinkende bus moeten slapen en overal zo kort blijven dat je na een paar dagen niet eens meer weet in welk land je bent. Hij vertelde me hoe saai het was om een muziekvideo op te nemen en de Brit Awards bij te wonen (zelfs al ziet het er heel *glamorous* uit) en wat een kick het geeft om in Hyde Park te spelen als er duizenden mensen meezingen. Hij zei dat hij heel blij was dat ik het zo goed met Max kon vinden, en dat ik nog eens moest komen eten. Max en ik mochten zelfs een klein glaasje wijn meedrinken. Natuurlijk loog ik dat ik thuis voortdurend wijn drink en dat mijn ouders het helemáál niet erg zouden vinden. Het smaakte smerig en ik werd er duizelig van, maar ik dronk toch het hele glas leeg.

Na het eten gingen we met z'n allen naar de woonkamer (niemand zei iets over de muren die ik had geschilderd) en we kletsten verder met een kopje koffie erbij. Een van Rufus' vrienden had zijn gitaar meegenomen voor een geïmproviseerde jamsessie, waaraan iedereen, zelfs Max, meedeed. Er werd met Fieldstar-nummers en oude liedjes meegezongen.

Alleen al door eraan terug te denken, moet ik glimlachen. Ik wrijf mijn ogen uit en kijk om me heen. Overal hangen Fieldstar-posters, er hangt er zelfs een boven mijn bed, waarop Rufus geen shirt aanheeft. Als ik er nu naar kijk, voel ik me beschaamd, een beetje vies zelfs, alsof ik op een familielid geil. Ughh. Daar hangt hij dan met zijn spieren en zijn getuite lippen. Zo'n mond trekt hij in het echt nooit. Eigenlijk heb ik nog nooit iemand zo'n mond zien trekken, nu ik erover nadenk. Rufus ziet er op foto's echt anders uit. Hij ziet er neutraal uit, leeg, alsof hij er niet echt is. Al die uren dat ik naar die posters heb liggen staren en me lag af te vragen wat er in hem omging – en nu blijkt er niets in hem om te gaan. Behalve misschien: 'Wanneer zijn we klaar zodat ik naar huis kan om op mijn Wii te spelen?'

Max komt straks langs om Sky en Vix te ontmoeten. Ik moet eerst iets aan mijn slaapkamer doen. Ik ga Max echt niet in mijn kamer laten als er aan elke muur foto's van zijn grote broer hangen. Dat is te *weird.* Ik rek me uit, klim uit bed en trek een T-shirt en een joggingbroek aan. 'Oké dan,' zeg ik hardop. 'Aan de slag.' Ik sta op mijn tenen op het bed en trek in één snelle beweging de poster met Rufus' torso los. Misschien ben ik iets te haastig, want hij scheurt en een van zijn armen wordt eraf gerukt. Ai. Gelukkig ben ik niet bijgelovig, want het lijkt me geen goed voorteken voor een drummer. Daarna peuter ik een voor een alle *Fieldstar*-posters van mijn muren af. Ze hebben er een jaar gehangen en de buddies laten vlekken achter. Ik stop even om te zien hoe het ervoor staat. De kamer ziet er kaal, saai en karakterloos uit. Zolang ik me kan herinneren, heb ik posters aan mijn muren; vanaf het moment dat pap het alfabetbehang voor me had overgeschilderd. Dat was toen nogal haastwerk en ik zie nog vage lettersporen op plekken waar de verf is weggevaagd. Zo kan het niet blijven, ik moet andere posters zien te vinden.

Er is geen tijd meer om nog naar de markt te gaan, dus doorzoek ik mijn kamer naar iets bruikbaars. Onder mijn bed vind ik een kartonnen koker die ik was vergeten. Er zitten een paar posters in. Ik rol ze uit: daar is het schattige jonge poesje waar ik vanaf mijn bed naar lag te staren toen ik zeven was, de Disney-poster van *Beauty and the Beast,* een poster van Westlife van een paar jaar oud – ik kon het niet over mijn hart krijgen om hem weg te gooien – en een of andere goedkope poster van de markt met een knappe gast met donker krullend haar en een baretachtige pet op. Het was de bedoeling dat ik die zou ophangen, maar ik kon hem nergens kwijt. Nu dus wel. Ik plak hem boven mijn bed, waar Rufus eerst in zijn blote bast hing te pruilen. Het staat niet verkeerd, alsof het zo hoort. Maar toch ziet de kamer er nog vreemd uit, alsof hij niet van mij is, dus hang ik de andere posters ook maar op. Het is een beetje een samengeraapt zootje; het lijkt meer op de posterafdeling van IKEA dan op een kamer waar iemand echt in leeft, maar in ieder geval kun je de vlekken en het alfabetbehang niet meer zien.

Oké, ik heb nog een uur voordat mijn vrienden komen. Ik moet nog douchen en me aankleden en een ontbijt naar binnen zien te krijgen – ook al is het al lunchtijd en zit ik nog vol van gisteren. Mmm… dat chocoladetoetje was goddelijk… hoe die dikke, warme saus eruit droop toen ik het met mijn lepel aanraakte. Dáár vroeg ik wel een tweede portie van!

Ik ben zo ongeveer klaar als er wordt aangebeld. Als ik geluk heb is het of Sky, of Vix, of Sky en Vix samen, zodat ik ze alles over gisteravond kan vertellen voordat Max er is. Maar het is Max.

'Hoi,' zegt hij weer met een grijns. Hij geeft me een kus op mijn wang en het valt me op dat hij aftershave op heeft, dezelfde die Rufus gebruikt. Die heeft hij vast geleend. 'Echt leuk om je weer te zien.'

Het is maar veertien uur geleden, maar ik speel het spelletje mee. 'Hoezo, begon je me te missen?'

'Tuurlijk,' zegt hij. Misschien heb ik het mis, maar volgens mij zie ik zijn nek en oren lichtrood worden. 'Heb je het gisteravond naar je zin gehad?'

'O ja, het was geweldig. Kom binnen.' Ik laat hem de hal in. 'Ik heb me prima vermaakt. Rufus en zijn vrienden waren superaardig en ik vind Isabella ook leuk, nu ik haar wat beter heb leren kennen. Dat had ik niet verwacht.'

'Ja, ze is echt cool. En heel geschikt voor Rufus. Ze houdt hem van de straat.'

'De straat?'

'Je weet wel: met verkeerde gasten rondhangen, ruziemaken in nachtclubs en in roddelbladen verschijnen. Die fase heeft hij gehad. Het was niks voor hem. Volgens mij was de roem hem naar het hoofd gestegen.'

'Ja, dat kan ik me nog herinneren,' zeg ik. Gelukkig is hij niet meer zo; als mijn ouders zulke verhalen te horen kregen, zou ik nooit met hem mogen omgaan. 'Kom maar mee naar boven. Dan wachten we in mijn kamer op de anderen.'

Max volgt me naar boven naar mijn kamer en gaat op het randje van mijn bed zitten. Ik ga naast hem zitten, niet al te dichtbij, en sla mijn benen over elkaar.

'En, wat heb je voor vandaag gepland?' vraagt hij terwijl hij om zich heen kijkt. Hij neemt duidelijk de vreemde omgeving in zich op, maar hij zegt er niks van.

'Ik weet het nog niet. Ik dacht: even wachten en kijken wat de anderen willen.'

'Oké. Wat het ook is, hopelijk is het net zo leuk als gisteren.'

'Tuurlijk, reken daar maar op. Sky en Vix zijn al van jongs af aan mijn hartsvriendinnen. Ze willen je supergraag ontmoeten.'

'Oké,' zegt hij, maar hij klinkt niet zo enthousiast als ik had verwacht. 'Hartstikke leuk.'

Vix en Sky komen tegelijkertijd aan; waarschijnlijk zijn ze elkaar op straat tegengekomen. Max blijft in mijn kamer wachten terwijl ik naar beneden ga om open te doen. We zouden het liefst meteen gaan roddelen, maar ons huis is nogal gehorig en ik wil niet dat Max hoort dat we het over hem hebben. 'Hij zit al boven,' fluister ik. 'Ik vertel het later wel.'

Max staat ons bij de slaapkamerdeur op te wachten als we binnenkomen. 'Hoi,' zegt hij beleefd, met uitgestoken hand. Vix schudt zijn hand en zegt: 'Leuk je te ontmoeten.' Sky knikt en buigt naar voren om hem op zijn wang te kussen.

'Nou...' zeg ik. Er valt een ongemakkelijke stilte. Ze zitten allemaal naar mijn muren te kijken en ik wéét gewoon dat iemand er iets van gaat zeggen.

'Interessante posters,' zegt Sky plagerig. 'Ik wist niet dat je Westlife weer leuk vond.'

'Ach, ik wilde wel eens wat anders,' zeg ik met een veelbetekenende blik richting Sky, die waarschijnlijk wel heeft geraden waarom ik de Fieldstar-posters heb weggehaald. Als ik zeker weet dat Max niet kijkt, mime ik: 'Kappen.'

'Sinds wanneer ben jij fan van Che Guevara?' vraagt Vix, terwijl ze naar de poster boven mijn bed staart.

'Wie?'

'Die gast aan je muur.'

'O, oké. Shayne hoe? Die heb ik een eeuw geleden op de markt gekocht. Hoe ken je die? Is het een acteur?'

Vix giechelt. 'Nou, niet echt.'

'Ik wist niet dat je communist was,' zegt Sky.

'Eh...?'

'Che Guevara was een Cubaanse marxistische revolutionair,' zegt Vix. 'In de jaren vijftig. Wist je dat niet?'

Ik word zo rood als een biet. 'Volgens mij heb ik wel eens van hem gehoord, maar ik wist niet hoe hij eruitzag,' zeg ik zacht. 'Ik vond dat hij een leuke kop had. Ik vroeg me al af waarom er zo veel posters van hem op de markt hingen. Oeps.'

'O, Rosie,' zegt Vix. Ze lacht, maar niet onaardig. 'Hij is inderdaad wel leuk.'

'Rosie houdt niet echt van politiek of geschiedenis, hè Rosie?' zegt Sky plagerig.

'Ze weet anders veel te vertellen over andere dingen,' neemt Max het voor me op. Zó lief. 'Ze heeft me gisteren een supergoede tour door Camden gegeven.'

'Tuurlijk,' zegt Vix. 'Rosie is fantastisch, echt.'

'Hallo! Ik sta erbij, hoor!' zeg ik. 'Nou, waar hebben jullie vandaag zin in?' Ik begin maar snel over iets anders, voordat de Disney-poster of het schattige poesje ter sprake komen. Ik ben wel weer genoeg vernederd voor vandaag.

'Wat dachten jullie van een picknick op Primrose Hill?' stelt Vix voor. 'Het is zulk lekker weer!'

'Goed idee! Als we allemaal nou eerst naar huis gaan, wat te eten en te drinken halen, en dan aan het eind van de straat afspreken over, laten we zeggen, twintig minuten?'

9

Sterren en kiemgroenten

Primrose Hill komt wat Londen betreft het dichtst in de buurt van een dorp. Het is een chique wijk naast Camden Town, op ongeveer twintig minuten loopafstand van mijn huis. Primrose Hill is een plaatje, met ouderwetse straatlantaarns en rode telefooncellen voor gigantische Victoriaanse huizen – precies zoals Londen er in films uitziet. Het barst er van de dure boetieks, restaurants, delicatessenwinkels en hippe moeders die achter kinderwagens lopen of hun grut in dikke jeeps naar privéscholen rijden. Hier wonen de echt beroemde, echt rijke mensen, mensen die Camden Town te armoedig vinden, of te lawaaierig. Je kunt hier zo een ster uit Hollywood tegenkomen die met zijn kinderen aan het wandelen is of een biologisch brood bij de bakker koopt.

De heuvel zelf grenst aan Regent's Park en het is een hele

klim, die je wel in je benen voelt. Maar het is de moeite waard. Als je via een van de paden naar de top loopt, heb je een panoramisch uitzicht over vrijwel heel Londen: de BT Tower, het reuzenrad, zelfs de Dome en de wolkenkrabbers op Canary Wharf. Ik vind het heerlijk om hier in de vakantie op zondagmiddagen met vriendinnen lekker rond te hangen en naar mijn iPod te luisteren.

Het is ook de ideale plek voor een picknick. We hebben allemaal wat te eten meegenomen: chips en chocola, wat fruit en overgebleven pastasalade. Sky heeft een vreemd mengsel bij zich van kiemgroenten en tofu, dat haar moeder in de natuurwinkel heeft gekocht. Het stinkt.

'Zal ik het weggooien?' vraagt ze als we langs een afvalbak lopen op Chalk Farm Road, vlak voor het metrostation.

Ik kijk naar Sky, die naar Vix kijkt, die naar Max kijkt, die weer naar mij kijkt, en we knikken met z'n allen. 'Ja, alsjeblieft!' zeg ik. Ik weet dat er mensen zijn die honger hebben, maar echt, ik heb zwervers het eten van Sky's moeder in de vuilnisbak zien teruggooien.

Arm in arm lopen we in een rijtje de steile heuvel op, in de richting van de spoorbrug die de ingang naar Primrose Hill markeert. Vix stelt voor dat we nog even een winkel in gaan om een paar flessen cola te kopen en nog wat extra's voor bij onze picknick. Het is er krankzinnig duur – twee keer zo duur als in Sainsbury's – maar ze verkopen heerlijke delicatessen en als we allemaal een paar pond bijdragen, valt het best mee.

We staan in de rij om af te rekenen als Sky opeens: 'Oh

my God!' gilt als een lange man met een zonnebril ons in het gangpad passeert. Ze fluistert, net iets te hard: 'Is dat Adam Grigson weer? Snel Rosie, het is weer tijd voor de celebometer.'

'Goed gezien, Sky! Je hebt gelijk.' Mijn hartslag schiet van opwinding omhoog. 'Wat doet hij deze keer?'

Sky gluurt over de stellages. 'Het lijkt erop dat hij een krant koopt en wat kaas. Brie. Of nee, camembert.'

'Celeb-wat?' vraagt Max geïntrigeerd.

'Celebometer,' zegt Vix. Misschien verbeeld ik het me, maar het klinkt nogal minachtend. 'Rosie heeft een spel voor het spotten van celebrity's bedacht. Hoe bekender iemand is, hoe meer punten je krijgt. O ja, en of ze hot zijn.'

'Het stelt niks voor,' zeg ik. 'Echt niet.' Het voelt niet goed om celebrity's te spotten met Max erbij. Na wat hij me heeft verteld wil ik niet oppervlakkig en fake overkomen, zoals al die mensen die vrienden met hem willen worden om zijn broer te kunnen ontmoeten.

'O, ik snap het,' zegt Max, die duidelijk niet in de gaten heeft dat ik me opgelaten voel. 'Dus hoeveel punten levert Adam Grigson op? Want daarnet zag ik Robert de Niro voorbijlopen.'

'Écht?' Mijn stem schiet zeker tien octaven omhoog.

'Nee,' zegt Max. 'Niet echt.' Hij lacht. 'Maar je had je gezicht moeten zien. Epic!'

Ik stomp hem tegen zijn arm. 'Wat gemeen.'

'Ja, en jij bent naïef.'

We lopen het park in en zoeken halverwege de heuvel

een schaduwrijk plekje onder een boom op. Vix heeft een kleed meegenomen, dat ze op het gras uitspreidt. We gaan er met z'n allen op zitten en gebruiken onze jassen als kussens. We gooien het eten in het midden op een hoop en tasten toe. We laten de chips en de cupcakes die we in de winkel hebben gekocht vrolijk rondgaan. Als we uitgegeten zijn, gaan we in een cirkel op het kleed liggen, met onze voeten min of meer tegen elkaar, en doen onzinnige woordspelletjes en 'Ik zie, ik zie wat jij niet ziet'. Max zweert dat hij een ufo heeft gezien, maar het blijkt gewoon een vliegtuig te zijn dat op zijn vluchtroute naar Heathrow door de wolken snijdt.

'Rosie, heb je zin om mee naar de top te lopen?' vraagt hij als het spel is doodgebloed en niemand puf heeft om met iets nieuws te komen.

'Oké,' zeg ik, terwijl ik me overeind hijs. 'Die paar minuten vermaken jullie je wel, toch?'

Vix en Sky liggen nog languit, met hun ogen dicht. 'Tuurlijk,' mompelt Sky slaperig. 'Veel plezier.'

Max en ik sjokken samen de heuvel op. Het is bijna niet voor te stellen dat ik hem nog maar een paar dagen ken; het voelt als een eeuwigheid. En ik ben zo blij dat hij ook goed met Sky en Vix kan opschieten, en dat ze hem ook leuk lijken te vinden. Hij is er gewoon tussen geschoven alsof hij er altijd bij heeft gehoord. Het is helemaal geen opgave om de hele zomer met hem op te trekken, het gaat hartstikke leuk worden.

'Wat een uitzicht!' zegt hij een beetje buiten adem, als we

op de top staan. 'Alsof je naar een ansichtkaart van Londen kijkt.'

'Ik weet het,' zeg ik. 'Er zijn hier niet voor niets zo veel films opgenomen.' Ik zeg even niets, om zelf van het uitzicht te genieten. 'Daar links zie je de dierentuin. Zie je dat hoge stuk? Dat is de volière, waar de vogels zitten. Dat laat ik je nog wel een keer zien. Het kost een vermogen om binnen te komen, maar als je aan de achterkant langs het kanaal loopt, krijg je sommige dieren voor niets te zien.'

'Ik wou dat ik in Londen woonde,' zegt Max. 'Zodra ik oud genoeg ben, kom ik ook hiernaartoe.'

'Moet je doen,' zeg ik.

We blijven nog een tijdje staan kijken voor we weer naar beneden lopen, waar we samen met de anderen op het kleed gaan zitten praten. Max vertelt ons over zijn school; het is een internaat, maar hij komt elk weekend thuis. Rufus heeft er ook op gezeten. Het is geen gewone school: de leerlingen stellen zelf de regels op, wat bizar klinkt – of liever gezegd: enorm aantrekkelijk. Waarom is onze school niet zo?

'Dus je kunt zelf bepalen of je lessen volgt?' vraagt Vix.

'Jep, min of meer. Stel dat ik liever een museum bezoek dan een geschiedenisles, dan mag dat. En er zijn toneellessen en muziek en sociale happenings, die ze net zo belangrijk vinden als academische vakken. Je moet een zo veelzijdig mogelijk persoon worden, daar draait het kennelijk om. De meeste mensen slagen uiteindelijk met hele goeie cijfers, dus blijkbaar wordt er toch gewerkt. Er hebben veel bekende mensen op gezeten. Niet alleen Rufus.'

'Jee, daar wil ik ook heen!' zegt Sky. Ze vertelt Max hoe het er bij haar op school aan toegaat. 'Ik durf er een miljoen om te verwedden dat de school elke dag leeg zou zijn als we zelf mochten kiezen of we wel of geen lessen volgen.'

'Zitten er meisjes bij jou op school, Max?' vraagt Vix.

'Ja, het is helemaal gemengd. Ik heb genoeg meiden in mijn vriendengroep.'

Ah, nou snap ik het. Daarom gaat hij zo relaxed met ons om. Ik ken jongens die doen alsof ik van een andere planeet kom. 'Vix en ik zitten op een meisjesschool,' zeg ik. 'Hoewel er een paar jongens in de bovenbouw zitten.'

'Ja,' zegt Vix. 'Maar, eh... heb je een vriendin?' Normaal gesproken is ze niet zo direct, en ze moet ervan blozen.

'Nee, vorig jaar wel, maar dat is uitgegaan. En jullie?'

'Ik niet,' zegt Vix. 'Ik ben single. Rosie ook. Sky heeft wel een vriendje.'

'Min of meer,' zegt Sky. 'Het ligt op dit moment niet zo makkelijk. Ik weet niet precies waar ik sta.' Ze ziet er verdrietig uit.

'Dat klinkt niet goed. Hoe dan ook...' zegt Max en hij verandert snel van onderwerp.

Dus wat sommige dingen betreft is hij toch een typische man. Die praten niet graag over gevoelens, of relaties – helemaal niet als ze moeizaam verlopen, zoals bij Sky.

'Ik kan trouwens maar beter gaan.' Hij krabbelt overeind en veegt de grassprietjes en takjes van zijn jeans. 'Ik heb Rufus beloofd om vanavond iets op zijn pc te installeren, en ik ben al later dan ik had gezegd.'

'Weet je zeker dat je in je eentje de weg terugvindt?' vraagt Vix. 'Ik moet ook over niet al te lange tijd naar huis, dus ik zou mee kunnen lopen.' Ze maakt aanstalten om te vertrekken en komt half overeind. Alleen heeft ze een slapend been omdat ze er te lang op heeft gezeten, dus ze valt zowat om.

'Welnee, maak je geen zorgen, blijf zitten. Ik red me wel,' zegt hij met een glimlach naar mij. 'Ik ben voorzien van een ingebouwde gps. Maar als ik verdwaal, bel ik wel even.'

'Oké,' zegt Vix een beetje teleurgesteld. Ze gaat weer zitten en wrijft over haar been.

Max zegt iedereen gedag en we kijken zwijgend toe hoe hij de heuvel af loopt en door het hek het park verlaat, waarna hij uit het zicht verdwijnt.

'Zo, nu de kust veilig is: wat vinden we van hem?' vraag ik. 'Ik wil dat zo graag horen. Hij is oké, toch?'

'Ik vind hem leuk,' zegt Sky. 'Hij is aardig. Grappig. Een beetje bekakt, maar niet arrogant. Je zou alleen nooit zeggen dat het een broer van Rufus is, toch?'

Ik schud mijn hoofd. 'Nee, hè? Zei ik toch!'

'Hij is hartstikke leuk,' zegt Vix met een zucht. 'Écht leuk.'

'Vix!' zegt Sky. 'Ben je soms verliefd? Dat is niks voor jou!'

'Misschien een heel klein beetje,' zegt Vix. 'Maar dat zal wel van één kant komen. Hij heeft totaal geen interesse in mij. Zag je niet hoe hij de hele tijd naar Rosie zat te kijken, met die grijns op zijn gezicht alsof...'

'Doe niet zo idioot,' onderbreek ik haar. 'We zijn gewoon

vrienden. Dat doet-ie waarschijnlijk omdat hij mij wat beter kent.'

'Denk je? Dus jij hebt geen interesse?' vraagt Vix.

'Nah, ik geloof 't niet,' zeg ik.

Als het wel zo was, zou ik het wel weten, toch?

10

Hoe weet je of je verliefd bent?

Een paar dagen later zie ik, op weg naar High Street, Rufus midden op straat staan, voor het kraakpand. Om de een of andere reden staart hij naar boven, maar ik zie niets bijzonders.

'Hé Rufus, wat sta jij nou te doen?' vraag ik. Ik vind het nog steeds een beetje eng om een gesprek met hem aan te knopen, maar als ik hem gewoon als de oudere broer van Max zie en niet als de celebrity die naast me woont, gaat het stukken makkelijker.

Hij draait zich om en glimlacht, alsof hij het echt leuk vindt om me te zien. 'Ah, Rosie, hoi. Ik wilde net een kijkje nemen bij het kunstcollectief. Ik ben door een van de jongens uitgenodigd. Zin om mee te gaan?'

'Ooo ja,' zeg ik. Ik wil al zolang ze erin zitten eens kijken wat er allemaal gebeurt in dat huis. (Trekken krakers ergens in, of breken ze in?) En mam zou uit haar vel springen als ze ervanaf wist, wat het nog aantrekkelijker maakt.

'Kom op,' zegt hij. Hij begint op de voordeur af te lopen, met mij in zijn kielzog. Ik moet zelfs een beetje rennen om hem in te halen.

'Waarom stond je zo naar het dak te kijken?'

'O, dat,' zegt hij. 'Nou, als je naar binnen wilt, moet je een geheime code volgen. Ik moest daar gaan staan wachten en naar boven kijken. Iemand zou bij het linker bovenraam verschijnen en met zijn hand aangeven of de kust veilig was.'

'Wauw,' zeg ik. 'Echt waar? Ik heb niemand gezien.'

'Nee,' zegt Rufus. 'Doe niet zo dom. Ik moet gewoon aanbellen, net als bij elk ander huis. Ik keek omhoog omdat ik dacht dat ik een helikopter hoorde.'

Ik word helemaal rood. Dit is precies het soort grap dat Max met me zou uithalen. Rufus trekt zijn linkerwenkbrauw op en kijkt me met een ondeugende grijns aan, en voor het eerst herken ik iets van zijn broer in hem.

'Ik snapte best dat het een grapje was,' zeg ik.

'Tuurlijk.' Hij klinkt niet overtuigd. 'Relax, Max zegt dat je een goed gevoel voor humor hebt. Onder andere. Hij zal me dit waarschijnlijk niet in dank afnemen, maar hij vindt je erg leuk, weet je.'

'O, super. Ik vind hem ook erg leuk. Het is hartstikke gezellig met hem.'

'Mmm,' zegt Rufus. 'En?'

'En wat?'

'Is dat alles? Dat het gezellig met hem is?'

'Ik vat 'm niet.'

'Jezus Rosie, word eens wakker. Hij vindt je léúk.'

'O,' roep ik uit. Het begint me eindelijk te dagen. Ik weet dat ik er vanuit een bepaalde hoek best goed uitzie, maar dat iemand me echt aantrekkelijk zou vinden... 'Je bedoelt toch niet...'

'Hè hè, miss Buttery, eindelijk. Max heeft een oogje op je. Hij valt op je.' Hij grijnst brutaal. 'Nou, jij en mijn kleine broertje dus. Hoe denk jij daarover?'

'Ik... ik... ik weet 't niet,' begin ik zenuwachtig. Het eerste wat in me opkomt is: Max is hartstikke leuk, maar niet op die manier – maar de waarheid is dat ik niet precies weet wat ik voor hem voel. Ik vind het leuk om met hem op te trekken, maar ik ken hem nog niet goed genoeg om te kunnen zeggen of ik op hem val. Wat een waardeloze smoes is, want dat heeft er hiervoor ook nooit toe gedaan. Meestal hoef ik er niet over na te denken of ik op iemand val of niet; ik kijk ze gewoon aan en dan weet ik het meteen. Maar het zou best kunnen dat ik verliefd op hem word. Hij is zo aardig, misschien dat ik hem steeds leuker ga vinden. Met mijn andere vriendjes (oké, het waren er maar twee) is het niet echt op iets uitgelopen, of wel soms? Dus misschien is het helemaal niet gunstig om vlinders in je buik te hebben als je iemand aankijkt, en is het dus juist goed dat ik dat bij Max niet heb.

En dan is Vix er ook nog; Vix, die bijna nooit verliefd wordt, maar die nu heeft aangegeven dat ze Max wel ziet zitten. Als het tussen Max en mij iets wordt, zou zij over-stuur raken, toch? En het gaat al niet zo lekker tussen ons. Maar als hij mij leuker vindt, valt daar natuurlijk weinig aan te doen. Het zou idioot zijn om deze kans te laten schieten alleen maar om haar niet te kwetsen. En het is ook weer niet zo dat ze hem de eeuwige liefde heeft verklaard; ze heeft alleen gezegd dat ze misschien een beetje verliefd is. Ze heeft hem tenslotte maar een paar uur gezien, en ze kent hem dankzij mij. Ze kan moeilijk zeggen: 'Ik zag hem het eerst.' Het gaat niet om een paar schoenen in de etalage, het gaat om een persoon. O man, het is allemaal zo inge-wikkeld. Bestonden er maar regels voor dit soort dingen.

'Ja?' zegt Rufus met opgetrokken wenkbrauw, en ik vraag me af of hij mijn hersens kan horen kraken.

'Eh… zeg maar: misschien,' zeg ik cryptisch.

'Ah, je speelt *hard-to-get*,' zegt Rufus. 'Daar hou ik wel van. Ik zal het doorgeven.'

Ik lach verlegen. Dat doe ik helemaal niet, maar ik wil hem niet laten merken dat ik nogal in de war ben.

'Oké,' zegt hij. 'Laten we eens bij het collectief gaan kij-ken.' Zonder op mijn antwoord te wachten, belt hij aan. Het duurt eindeloos voor er iets gebeurt, maar uiteindelijk horen we het geluid van sloten die worden opengedraaid en steekt een meisje haar hoofd om de deur. Ze heeft grote groene ogen en ze zou heel knap zijn als haar halve hoofd niet was kaalgeschoren en ze geen piercings in haar wenk-brauwen, neus en lippen had.

'Hi,' zegt Rufus. 'Ik hoop dat het oké is dat ik Rosie, een

vriendinnetje, heb meegenomen.'

Oh my God, Rufus Justice heeft me zojuist als vriendin bestempeld! Ik ben niet zo kapot van dat 'tje'-gedeelte, maar dat vergeef ik hem. Ik grijns naar het meisje en wentel me in mijn nieuwe status.

'Geen probleem,' zegt ze, terwijl ze me wantrouwend van top tot teen opneemt. 'Hoi. Ik ben Amanda.' Ze laat ons binnen en ik blijf even staan om het interieur in me op te nemen. Het ziet er van binnen net zo uit als ieder ander huis, behalve dat de vloer is gestript, de hele kamer bezaaid is met lege wijnflessen en bierblikjes, de kale muren zijn ondergekrast en onder de half afgemaakte schilderingen zitten. Sommige schilderingen lijken wat stijl betreft erg op elkaar. Je hebt die beroemde maar mysterieuze kunstenaar die bekend staat als Winksy, die in het holst van de nacht muren beschildert, en het gerucht gaat dat hij in Camden woont. Zouden dit zijn schilderingen kunnen zijn? Woont hij hier? En ga ik hem ontmoeten? Als pap dit hoort…

'Rufus, Jack zit hier in de repetitieruimte op je te wachten,' zegt Amanda, terwijl ze naar links wijst. 'Rosie, zal ik je een rondleiding geven?'

'Oké.' Ik ga maar al te graag op onderzoek uit. Ik wil Rufus gedag zeggen en draai me om, maar hij is al verdwenen.

'Dus hoe ken je Rufus?' vraagt Amanda.

Ik vraag me af of ik een meeslepend verhaal moet opdissen, maar ik kan niks verzinnen. 'Eh… hij woont naast me.'

Amanda reageert geprikkeld. 'O, ik dacht al dat ik je ergens van kende. Nou, vertel in ieder geval aan niemand uit de straat wat je hier ziet. De gemeenteraad probeert ons eruit te werken.'

'Weet ik,' zeg ik. 'Klote.' Ik zeg maar niet dat mam, als voorzitter van het buurtcomité, daar helemaal achter staat.

Amanda zegt nauwelijks iets terwijl ze me rondleidt; ze doet alleen deuren open en wijst dingen aan, alsof ze het zo snel mogelijk achter de rug wil hebben. Het kraakpand is ongelofelijk. Ze hebben donkere kamers om foto's af te drukken, muziekstudio's, en ateliers waar pap een moord voor zou doen. Er is ook een grote ruimte voor feesten, met podia die permanent blijven staan en tot in de tuin doorlopen, met een overkapping erboven. Amanda laat me niet zien waar ze slapen en het is vast onbeleefd om ernaar te vragen, maar ik zou het dolgraag willen zien. Ze vertelt wel dat er hier altijd zo rond de vijftien mensen wonen. Ik vraag me af wat ze zou zeggen als ik voorstelde om hier ook een tijdje te komen wonen…

'Oké dan,' zegt Amanda. 'De tour zit erop. Sorry, maar de rest is privéterrein en ik moet weer aan de slag.'

'O,' zeg ik teleurgesteld. Ik had nog wel langer willen blijven, een paar anderen ontmoeten, zeker als Winksy erbij zit. Iedereen die ik voorbij zag komen, zag er interessant en excentriek uit. Eén gast leek zo uit een foto uit de jaren veertig te zijn gestapt, compleet met snor en een RAF-pilotenjas.

Maar helaas. Amanda brengt me naar de voordeur. 'Leuk je ontmoet te hebben,' zegt ze. 'Ciao.' Geen uitnodiging voor een feest of om terug te komen. Ze opent de deur op zo'n kier dat ik me er net doorheen kan wurmen en doet hem dan achter me op slot. Voor ik wegloop, sta ik me nog even op de stoep af te vragen of ik ooit nog eens naar binnen mag.

***

Ik zit de hele middag met Max in mijn maag. Ik ben blij dat we vandaag niet hebben afgesproken; hij ging vrienden van school opzoeken die in Zuid-Londen wonen. Wanneer hij me een sms stuurt om te vragen hoe het gaat, stuur ik een vriendelijk sms'je terug, maar het voelt heel raar om met drie kusjes te eindigen, ook al doe ik dat altijd. Gek hoe alles verandert als je weet dat iemand verliefd op je is. Zou Rufus hem al hebben verteld wat ik heb gezegd? Ik voel de behoefte om erover te praten, maar Sky neemt haar telefoon niet op en met Vix kan ik het er duidelijk niet over hebben. Pap is thuis, dus ik besluit zijn mening te vragen. Hij is best goed in het geven van advies omdat hij het leven anders benadert dan de meeste volwassenen; hij is niet vergeten hoe het voelt om een tiener te zijn.

Pap zit in zijn atelier, omgeven door schetsboeken en verfrommelde vellen papier met half afgemaakte tekeningen. Hij ziet er gefrustreerd uit. Hij vertelt me dat hij opnieuw aan de Fieldstar-cover begonnen is. Rufus had zijn eerste schetsen afgekeurd omdat ze niet 'eerlijk' genoeg waren, wat dat ook mag betekenen. Het probleem is dat pap de tracks niet te horen krijgt (er zijn nog geen mastertapes gemaakt) en ook de titel van het album niet – omdat die er nog niet is. 'We zijn op zoek naar iets wat de ware aard van het materiaal weerspiegelt,' heeft Rufus hem gezegd. Field-stars eerdere albums heetten *Fieldstar* en *Fieldstar Twee,* dus drie keer raden wat het gaat worden, maar daar schiet pap niets mee op.

'Mag ik je iets vragen, pap?' begin ik voorzichtig.

'Tuurlijk, Rosie. Je mag me alles vragen, zolang het maar geen verhoging van je zakgeld is.'

'Nee, nee. Daar heeft het niets mee te maken. Het is persoonlijk.'

Pap verstijft. Hij ziet er een beetje verschrikt uit, alsof hij me over de bloemetjes en de bijtjes moet gaan vertellen of zoiets. 'Kun je dat niet beter aan je moeder vragen? Zij is beter in dat soort dingen.'

'Nee, echt niet. Doe maar rustig, het gaat niet over vrouwenzaken. Het gaat over levenszaken.'

Hij ontspant. 'Oké, brand maar los.'

Ik weet niet goed hoe ik het moet uitleggen, dus vraag ik het maar op de man af: 'Hoe weet je of je verliefd op iemand bent? Ik bedoel, hoe weet je het zeker?'

Pap fronst zijn wenkbrauwen. 'Mmm. Volgens mij weet je dat gewoon.'

Hier was ik al bang voor. 'Ja, maar is het altijd meteen vanaf het begin?'

'O nee,' zegt pap met een wazige blik. 'Soms duurt het even. De ene dag zie je iemand niet staan – is het gewoon een collega of een vriendin – en dan opeens zeggen ze of doen ze iets, of hebben ze iets aan, en kijk je naar ze en zijn ze opeens de mooiste, meest ideale persoon die je ooit hebt gezien, en snap je niet dat je er ooit anders over hebt gedacht.'

'Echt waar?'

'O ja. Toen ik mijn oog voor het eerst op je moeder liet vallen, had ik geen enkele romantische interesse. Ik vond haar een beetje bazig, een beetje opgeprikt. En ze droeg van die vreselijke vormeloze zwarte jurken, hoewel het – eerlijk is eerlijk – wel de jaren tachtig waren... En dit moet je haar echt nooit vertellen, maar eigenlijk had ik een oogje op haar vriendin Susie...'

'Dit. Wil. Ik. Niet. Weten.'

Hij hoort me helemaal niet. In gedachten is hij vijfentwintig jaar terug in de tijd, op de universiteit, verliefd aan het worden op mijn moeder. '...Maar op een dag, in mijn derde jaar, liep ik haar in de kantine tegen het lijf, letterlijk, zodat ze een hele sloot koffie over zich heen kreeg, en ik smolt bij het zien van de uitdrukking op haar gezicht. Ze zag eruit alsof ze me wilde vermoorden...'

'La la la la la la la la...' Ik leg mijn handen over mijn oren.

'En daarna kreeg ik haar niet meer uit mijn hoofd. En toen,' zegt hij met een knipoog, 'nodigde ik haar uit om mijn etsen te komen bekijken.'

'Hou alsjeblieft op! Dit is een marteling!'

Hij lacht naar me. 'Sorry Rosie, maar op een goeie dag zul je ook vijfenveertig zijn en nostalgisch doen over je jeugd.'

'Echt niet,' zeg ik. 'Dat gaat mij niet gebeuren. En als het

91

wel zo is, pleeg ik eerst zelfmoord. De vijftien halen duurt al een eeuwigheid.'

Hij zucht en wrijft over mijn achterhoofd. Ik trek een scheef gezicht; hij weet dat ik dat niet wil omdat ik er pluizig haar van krijg. 'O Rosie, liefje toch.'

Ik duik weg. 'Dus om weer terug te komen op mijn vraag: als je niet meteen verliefd bent, wil dat nog niet zeggen dat je het nooit zult worden?'

'Inderdaad. Waarom vraag je dat? Wie is de gelukkige?'

'Niemand,' zeg ik. 'Ik vroeg het me gewoon af.'

'Oké.' Hij is gekwetst dat ik het niet wil zeggen, alsof ik hem niet vertrouw.

Ik zeg even niets. 'Nou, als je het dan echt wilt weten: het gaat om Max, de broer van Rufus. Rufus heeft me verteld dat hij me leuk vindt en ik weet niet zeker of ik hem wel leuk vind. Op die manier, bedoel ik. Ik vind het gewoon fijn om met een jongen bevriend te zijn.'

Pap glimlacht vaderlijk. 'Je hoeft niets tegen je zin te doen, schat. Dat hij toevallig een jongen is en je leuk vindt, wil nog niet zeggen dat je verkering met hem moet hebben. Het kan gewoon blijven zoals het is. Je kunt ook een platonische vriendschap hebben.'

'Ja, maar ik wil hem niet kwetsen. Misschien wil hij geen vrienden meer zijn als ik hem afwijs. Dat zou alles verpesten.'

'Lastig. Ik weet niet of het iets uitmaakt, maar je moeder en ik vinden Max allebei erg aardig. Wij zouden er geen enkel bezwaar tegen hebben.'

'Pa-háááp!' Ik krimp in elkaar. 'Is dat omgekeerde psychologie of zoiets? Dat je hoopt dat je me afschrikt door te zeggen dat je hem leuk vindt?'

'Natuurlijk niet. Ik weet dat je daar veel te slim voor bent.'

'Mmm. En nog iets: Vix heeft een oogje op hem. Dat heeft ze zelf gezegd.'

'Ai, dat is wel vervelend, ja.' Hij overpeinst mijn dilemma even. 'Maar weet je wat ze zeggen, Rosie? In tijden van liefde en oorlog is alles toegestaan. Ik weet zeker dat er voor jullie allebei nog een hoop vriendjes in het verschiet liggen. Als jullie echte vriendinnen zijn, laat je die er niet tussen komen.'

Ik knik. Mijn vader heeft me niets nieuws verteld, en het probleem ook niet opgelost, maar ik voel me wel beter.

***

Later op de dag komt Sky langs. Ik heb de hele middag berichten achtergelaten dat ik haar wil spreken, maar ik heb niet verteld waarom. Ze vindt het vreselijk als ik dat doe, maar ik hou niet van het inspreken van voicemails en al helemaal niet als het over dit soort ingewikkelde dingen gaat; dan voel ik me zo'n ouwehoer. Als ik haar vertel wat ik van Rufus te horen heb gekregen, grijpt ze me bij mijn schouders en springt op en neer zodat ik wel mee moet springen. Ze is veel enthousiaster dan ik over het feit dat Max een oogje op me heeft, wat waarschijnlijk geen goed teken is.

'Dacht ik het niet!' gilt ze zowat uit. 'Het was overduidelijk, alleen al hoe hij je zat aan te staren als je aan het woord was.'

'Was dat zo? Deed hij dat?'

'Ja, joh. Dûh.' Ze giechelt. 'En het beste is nog wel dat je het van Rufus hebt gehoord, hoe cool is dat! Denk je eens in: als je verkering met Max krijgt, hoor je bij de Justice-familie! Dan word je het zusje van een rockster! Zo ongeveer dan.'

'Ja, maar...'

Ze luistert helemaal niet. *Rosie and Max, sitting in a tree, k-i-s-s-i-n-g,'* zingt ze plagerig.

Nee hè, denk ik, als ik verkering met hem krijg, moet ik hem kussen. Ik haal me zijn gezicht voor de geest. Ik kan me er niets bij voorstellen. Dat is ook niet echt een goed teken. Ik zeg haar waar ik bang voor ben en ze probeert me gerust te stellen.

'Ik was in het begin ook niet zo gek op Rich als ik nu ben,' zegt ze. 'Hij was veel verliefder dan ik.' Ze kijkt een beetje weemoedig. We weten allebei dat de rollen nu zijn omgedraaid.

'Weet je wat ik vind?' zegt ze. 'Je moet ervoor gaan. Ga een keer met hem uit, een soort van date, maar dan anders, om te kijken hoe het voelt. Zo van: eerst uitproberen en dan pas kopen.'

'Ja, dat is een goed idee.'

'Het zou zo cool zijn als jij ook een vriendje had, eentje met wie ik het goed kan vinden. En als het goed uitpakt, kunnen we dubbeldaten.'

'Ja, maar Vix dan?'

'Dat komt wel goed. Ze went er wel aan. En Max heeft vast nog wat leuke vrienden die hij aan haar kan voorstellen, iemand die zij ook leuk vindt. Dan kunnen we met z'n zessen uit. Je moet met haar gaan praten, Rosie, voor ze echt overstuur raakt.'

'Zal ik doen,' zeg ik. En dat is ook echt mijn bedoeling. Ik weet dat ik Vix nu meteen moet bellen, maar ik heb er de moed niet voor. Het kan toch best nog even een paar dagen wachten, tot ik iets beter weet wat ik nou precies voor Max voel? Het heeft geen zin om haar van streek te maken zolang ik er nog niet uit ben.

11

Eerst uittesten

Het is vrijdagavond en vanavond is mijn 'soort van-', 'eerst proberen dan pas kopen'- proefdate met Max. Max weet natuurlijk van niets. Hij denkt dat het een echte eerste date is, en hij heeft zich vanavond enorm uitgesloofd. Hij draagt een hele nette donkerblauwe jeans met een echte bloes, die hij kennelijk heeft proberen te strijken, en hij heeft zich alweer flink ondergespoten met Rufus' aftershave. Volgens mij is hij zelfs naar de kapper geweest, hoewel het moeilijk te zien is met zo'n bos haar. Ik ben wat eenvoudiger gekleed in een hoodie, tweedehands jeans en All Stars. Ja, ik wil niet dat het eruitziet alsof ik heel hard mijn best heb gedaan en hem daardoor de verkeerde indruk geven, toch? Of wil ik dat wel? Daarom ben ik hier dus: om dat uit te zoeken!

Ik heb de afgelopen dagen, sinds hij me mee uit eten heeft gevraagd, geprobeerd duidelijk te maken dat ik niet zeker weet of ik meer wil dan alleen vriendschap. Ik ga oogcontact zo veel mogelijk uit de weg en probeer tijdens het praten niet aan plukken haar te draaien, want ik heb gelezen dat dat een teken van verliefdheid is. Maar volgens mij dringt het niet echt tot hem door. Ik weet bijna zeker dat Rufus heeft verteld wat ik heb gezegd, maar het zou me niks verbazen als hij ook heeft gezegd dat ik voor de vorm een beetje tegenstribbel, en helaas heeft dat het vuur bij Max alleen maar aangewakkerd. Max kijkt me tijdens het praten opeens heel diep in de ogen, en als ik verlegen of ongemakkelijk reageer, denkt hij volgens mij dat het gespeeld is, en dat ik het flirterig bedoel.

Ik heb Vix eindelijk verteld wat er aan de hand is. Ik wist dat ik het moest doen, maar het leek altijd het verkeerde moment, dus bleef ik het maar uitstellen. Ik weet dat het lullig is, maar ik heb tot het allerlaatste moment gewacht. Ik had gehoopt dat Sky het voor me zou doen, maar ze zei dat dat niet eerlijk was, dat ik het zelf moest zeggen. Ze vertelde ook dat Vix het vaak over Max had gehad, dat ze zich afvroeg wanneer we weer eens met z'n allen iets zouden gaan doen, en dat het gemeen was om niet open kaart te spelen.

Ik heb haar een paar uur geleden gebeld. Ik krijg het gesprek maar niet uit mijn hoofd.

'Hé Vix, ik moet je iets over Max vertellen,' begon ik.

'O?' Ze klonk opgewonden. Shit, ik wist dat ik niet zo had moeten beginnen.

'Jee, ik weet niet hoe ik het moet zeggen. Eh… ik geloof

dat ik hem ook erg leuk vind. Denk ik. Min of meer.'

'Maar je zei eerst van niet. Toen ik het je bij de picknick vroeg.'

'Ik weet het, sorry. Ik wist het niet zeker, ik was in de war... ik ben nog steeds in de war. Het is alleen zo dat eh... hij mij leuk blijkt te vinden. Hij heeft het tegen Rufus gezegd.'

'O.' Ze klonk gekwetst.

'Ik vind het echt heel vervelend, Vix. Ik weet dat je gek op hem bent en zo. Ik heb het niet gepland, en ik zweer je dat ik het ook niet heb uitgelokt. Ik wilde hem juist gaan vertellen dat jij hem leuk vond, voordat ik het van Rufus te horen kreeg.'

'Jij kunt er niks aan doen,' zei ze grootmoedig. 'Zo gaan die dingen gewoon.'

'Ja. Bedankt, Vix. Ik wist wel dat je het zou begrijpen.'

'Dus hoe laat je hem nu weten dat jij geen interesse hebt? Ga je hem op een aardige manier teleurstellen?'

'Eh... nou, niet echt. Nog niet. Ik zei toch dat ik niet precies wist wat ik voelde? Er is maar één manier om daarachter te komen. Ik ga met hem uit. Een soort van date, eh... vanavond.'

'Hè? Je hebt vanavond een date met hem?'

'Gewoon om te kijken wat ik precies voel, ja. Het wordt echt niet heel anders dan de andere keren dat ik met hem op stap was. 'Date' is ook maar een naam, het betekent niets.'

Ze was even stil en haalde diep adem. 'Rosie, ik ken

je al mijn hele leven en ik weet dat je geen date met iemand zou hebben als je geen oogje op hem had. Volgens mij doe je het gewoon voor de vipkaarten, zodat je in de buurt van Rufus en zijn vrienden kan zijn. Je vindt Max helemaal niet zo leuk. Ik heb je niet één keer horen zeggen dat je hem een lekker ding vond. Als hij iemand anders was, zou je niet gaan. Dan zou je nee hebben gezegd. Je bent gewoon helemaal geobsedeerd door celebrity's. Het lijkt wel of je helemaal geen oog meer hebt voor gewone mensen.'

'Dat is niet eerlijk,' zei ik. Wat ze suggereerde, kwetste me: ik gebruik Max helemaal niet – hoewel ik moet toegeven dat de gedachte aan backstagekaarten en een zomer met de Fieldstar-crew wel een beetje meespeelt. 'Ik vind Max ontzettend leuk. Dat weet je best. En we kunnen het zo goed met elkaar vinden, ik wil gewoon weten of er meer in zit.'

'Je gaat vanavond met hem uit, zei je?' Ze klonk alsof ze bijna moest huilen. 'En dat zeg je nu pas.'

'Ik weet het, het spijt me echt. Ik wilde je niet van streek maken.'

'Nou, dat is je anders aardig gelukt.'

'Ik weet het. En ik vind het echt heel vervelend.'

'Veel plezier met je date,' zei ze op bittere toon.

'Bedankt.' Ik probeerde iets te verzinnen om het weer een beetje goed te maken. 'Ik kom morgen bij je langs, dat beloof ik je, om bij te praten. Het voelt niet goed om het zo te laten.'

'Wat je wilt,' zei ze.

'Wat ga jij vanavond doen?'

'Kweenie. Sky heeft met Rich afgesproken. Een paar meiden uit mijn klas gaan naar de film. Misschien dat ik met hen meega.'

'Cool,' zei ik. 'Veel plezier dan. Spreek je morgen.'

'Oké.' Ze zei niet: jij ook. Ze zei alleen maar: 'Nou, dan krijg ik het morgen zeker allemaal te horen?'

Dat had ik goed verpest, of niet soms? Ik voelde me ellendig toen ik had opgehangen. Vix en ik deden altijd alles samen, deelden alles samen. Maar dit kunnen we niet delen. Het voelt raar.

Dus hier zit ik dan, in een buurtrestaurant, tegenover Max, die niet kan ophouden met grijnzen. We zijn naar Marine Ices gegaan, wat waarschijnlijk de oudste en beste Italiaanse ijssalon in Londen is. Het ligt zowat naast de deur, tegenover Chalk Farm Station, en er wordt authentiek ambachtelijk Italiaans ijs geserveerd in elke denkbare smaak, met oneindig veel toppings en sausen. Je kunt het in grote hoorns meenemen of ter plekke in schaaltjes of glazen geserveerd krijgen, *Knickerbocker Glory's* en al dat soort namen, met wafels die uitsteken... maar ik loop op mezelf vooruit. We zijn nog niet bij de toetjes beland. Er is ook nog een echt Italiaans restaurant aan Marine Ices verbonden, en daar zitten we dus. De muren hangen vol met gesigneerde foto's van beroemdheden die hier door de jaren heen zijn geweest: acteurs en muzikanten en zelfs hele oude Hollywoodsterren.

Ik bekijk de foto's en probeer uit te maken wie ik wel en niet ken en ik vraag me af of ik Max moet vragen of Rufus hier al is geweest.

Max is zo galant. Toen we aankwamen, hield hij de deur voor me open, en hij schoof de stoel voor me naar achteren (wat een beetje ongelukkig getimed was, want daar had ik niet op gerekend). Hij heeft me gevraagd wat ik wilde eten en drinken, bestelde voor ons beiden en liet mij als eerste beginnen terwijl zijn eten eerder werd gebracht. Volgens mij is hij zelfs het soort jongen dat dit ook zou doen als je niet met hem op een date was. Ik ben het niet gewend. Maar het is best fijn.

Ik heb *spaghetti pomodoro* genomen, wat waarschijnlijk de minst romantische keuze is, want de tomatensaus vliegt alle kanten op als je de spaghetti naar binnen slurpt. Ik heb het niet expres uitgekozen om hem af te stoten, geloof me. Als dat de bedoeling was geweest, had ik ook knoflook-brood kunnen nemen. Maar het is het gerecht met de minste calorieën, en er moet ook nog een toetje bij. Max heeft gekozen voor een pizza met hete pepperoni. Die is zo groot als een satellietschotel, maar hij werkt hem opzienbarend snel naar binnen.

Zoals gewoonlijk gaat het gesprek helemaal vanzelf, hoewel ik me iets ongemakkelijker voel dan normaal. We hebben het over onze vrienden en klagen over onze ouders en onze leraren.

Hij vertelt me over het schooljaar waarin hij besloot vegetariër te worden, voornamelijk omdat hij gek was op een meisje bij hem in de klas, een dierenrechtenactiviste. Het probleem was alleen dat hij de verleiding van een bacon-sandwich niet kon weerstaan en toen ze erachter kwam, kon hij haar wel vergeten.

Hij houdt even zijn mond en lacht. 'Hé, je hebt tomaten-saus op je kin.'

'O, oeps!'

'Kom 'es hier...'

Nee toch, hij heeft zijn servet opgepakt en leunt nu naar voren. Voordat ik er erg in heb, veegt hij mijn kin af.

'Je bent net een klein kind,' plaagt hij. 'Zo schattig.'

Nee! Nee! Nee!

'Ik ben gewoon een vlekkenmagneet, een superonhan-dige kluns. Je kunt me nergens mee naartoe nemen.'

'Nee hoor, er is niks mis met je.' Hij lacht. 'Ik zal de vol-gende keer alleen wel een slabbetje voor je meenemen.'

Ik krimp ineen – hopelijk niet al te zichtbaar. Ik weet nog steeds niet of ik wel wil dat er een volgende keer is.

Ik ben al de hele avond in gedachten bezig een lijst op te stellen met voors en tegens van een avondje uit met Max. Dit is wat ik tot nu toe heb bedacht:

Voors:
- Hij is zo galant.
- Oké, hij is niet het type waar ik meestal op val, maar hij is best cute. Hij heeft leuke ogen en volle lippen, die er zacht uitzien.
- We hebben zo veel lol samen en ik kan écht met hem

praten. Hij is waarschijnlijk de beste vriend die ik ooit heb gehad.

- Hij is de broer van Rufus Justice, etc., etc.

Tegens:

- Als hij tegen me praat en me in mijn ogen kijkt en ik moet hetzelfde doen omdat wegkijken onbeleefd zou zijn, word ik niet week van binnen, maar zit ik me af te vragen of hij mooiere wimpers heeft dan ik, en of dat een oogsnotje is, wat er in zijn ooghoek zit.
- Hij is mijn type niet. Ik hou van blauwe ogen en die van hem zijn bruin. En zijn mond is te groot voor een jongen, bijna meisjesachtig.
- Ik weet niet of ik op dit moment wel een vriendje wil.
- Als ik verkering met hem krijg, wordt het knap lastig tussen Vix en mij. Dat is het al.

***

Die arme Max heeft er geen idee van dat hij tegen het einde van de avond misschien wel gezakt is voor een examen waarvan hij niet eens wist dat het werd afgenomen. Hij ziet er heel opgewonden uit omdat de ober de toetjeskaart zojuist heeft gebracht. Zijn ogen zijn even groot en rond als de ijsbollen waar hij zo van gaat zitten smullen. Hij kan niet kiezen en gaat uiteindelijk voor vier verschillende smaken, met chocoladespikkels en aardbeiensaus.

Ik heb alles op de menukaart al eens geprobeerd (ik ben

hier al zo vaak geweest) dus ik neem alleen één bol Belgische chocolade-ijs plus meloensorbetijs, ook al past het niet echt bij elkaar. Het zit boordevol fruit, dus daarmee kom ik mooi aan mijn vijf stuks per dag. Mam kan trots op me zijn.

'Wauw,' zegt Max een paar keer. En: 'Mmm.'

Maar al snel wordt duidelijk dat hij, ondanks zijn indrukwekkende pogingen, niet alles op kan. Eigenlijk trekt hij nogal wit weg.

'Kun je me hiermee helpen?' vraagt hij uiteindelijk. Hij steekt zijn lepel verwachtingsvol naar me uit. Volgens mij wil hij het me zelf gaan voeren.

'O nee, ik zit hartstikke vol,' zeg ik. 'Te veel pasta.' En eerlijk gezegd ziet het er niet al te smakelijk uit. De verschillende bolletjes zijn samen met de spikkels en de saus versmolten tot één grote brij. 'Eet jij het maar op. Het ziet er zo lekker uit, zonde om het te laten staan.'

Als er iets is wat ik over jongens weet, is dat ze niet tegen hun verlies kunnen, zelfs al gaat het om eten. Max steekt zijn lepel weer in de kom en werkt nog wat van de drab naar binnen. 'Mmm,' zegt hij, zonder veel overtuiging. 'Mmm. Mmmmm.' Niet veel later legt hij zijn lepel op tafel en kreunt. 'Het kan er niet meer bij. Ik voel me een beetje misselijk.'

Dit is misschien wel goed nieuws. Natuurlijk wil ik niet dat hij zich beroerd voelt. Maar hopelijk voelt hij zich niet in staat om mij bij het afscheid te zoenen. Ik geloof namelijk niet dat ik daar klaar voor ben.

'Wil je nog koffie?' vraagt hij. 'Ik geloof niet dat ik nog iets naar binnen krijg.'

'Nah, ik ook niet.'

Hij vraagt de rekening en ik sta erop om de helft te betalen, ook al zegt hij dat dat niet hoeft omdat hij trakteert. Maar het voelt gewoon niet goed als hij alles betaalt.

'Zullen we nog even gaan wandelen op Primrose Hill? Van een beetje frisse lucht knap ik vast op.'

'Eh...' Ik ben niet gek. Ik weet best dat een avondwandelingetje op Primrose Hill (zelfs al is het nog licht) gelijkstaat aan een romantische wandeling met zijn tweetjes. Behalve als je je hond uitlaat. 'Ik weet niet. Het is al best laat.'

Hij kijkt op zijn horloge. 'Het is pas half negen!'

'Ik heb gezegd dat ik negen uur thuis zou zijn.' Dat is gelogen. Ik zei – om precies te zijn – 'Tot later.'

'Dan stuur je toch een sms'je. Ze vinden het vast niet erg als je een halfuurtje later bent.'

'Nee, echt, ik ben een beetje moe. Laten we maar teruggaan. Sorry.'

'Geeft niet,' zegt hij. 'Volgende keer beter.' Hij haakt zijn arm in die van mij, wat niet erg is omdat ik dat met al mijn vrienden doe, en we lopen naar huis. We zeggen geen van beiden veel: ik omdat ik in gedachten ben verzonken en hij, neem ik aan, omdat hij nog steeds misselijk is.

We houden voor mijn deur stil. 'Heel erg bedankt,' zegt hij, terwijl hij mijn arm loslaat en zich naar me toe draait. 'Ik heb een fantastische avond gehad.'

'Ik ook,' zeg ik. Dat is niet gelogen. Het was lang niet zo

vreemd als ik had gedacht. 'Dank je wel.'

Hij legt zijn handen op mijn schouders en buigt naar voren. Mijn maag trekt zich samen en nu weet ik echt honderd procent zeker dat ik niet wil dat hij me zoent. Ik draai mijn wang naar hem toe en hij geeft er een enigszins natte smakzoen op.

'Slaap lekker straks, Rosie,' zegt hij met een glimlach. Ik voel me opgelucht. Misschien is hij wel te galant om meteen al bij de eerste date een zoen op de mond te verwachten. 'Ik bel je morgen.'

Ik kijk hoe hij wegloopt en de deur van Rufus' huis openmaakt. Voordat ik mijn eigen huis in ga, blijf ik nog even op de stoep de straat in kijken. De schemer valt, maar de straatlantaarns zijn nog niet aan. Vanuit mijn ooghoek zie ik Vix volgens mij door een kier tussen haar gordijnen naar buiten gluren. Om het beter te kunnen zien, draai ik me om, maar ze is er niet meer – als ze er überhaupt al stond.

12

Zonder Vix

Als ik zeg dat ik Vix al een eeuwigheid ken, bedoel ik echt een eeuwigheid. Ze kwam bij mij in de straat wonen toen ik twee was, dus ik kan me niet eens meer herinneren dat we geen vriendinnen waren. We zaten samen op de crèche, op scouting, op dezelfde buitenschoolse opvang, op de lagere school en daarna op de middelbare school. We hebben zo veel lol gehad. Onze families gingen samen op vakantie. We werden zelfs in dezelfde week voor het eerst ongesteld. Ik zou nooit gedwongen willen worden te kiezen tussen Vix en Sky – ze zijn allebei mijn aller- allerbeste vriendinnen – maar als je een pistool in mijn gezicht zou duwen (wat in achterafstraatjes in Camden wel eens gebeurt, hoewel waarschijnlijk niet om deze reden) en zei dat je me zou vermoorden als ik niet zou kiezen, dan zou ik Vix kiezen. Gewoon, daarom.

Dus ik vind het heel pijnlijk dat ze nu zo boos op me is.

Ze belt niet zoals Sky (die precies om tien uur aan de telefoon hangt voor alle details) om te horen hoe de date is verlopen. Niet dat dat nou zo verbazend is. Als het een geslaagde date was, zou ze het niet willen weten. En als het niet geslaagd was, zou ze uit de hoogte doen en de schuld bij mij neerleggen – hoewel ze wel weer zo lief zou zijn om dat niet te zeggen. Het probleem is alleen dat het sowieso verkeerd is, wat ik ook doe. En als ik haar niet bel om alles te vertellen, is ze ook van streek, dan zou ze denken dat ik haar uit de weg ging.

Dus pak ik de volgende dag de telefoon en bel haar op. Ze laat hem langer overgaan dan normaal, hoewel ze misschien ook wel gewoon op de plee zit.

'Hé,' zegt ze. 'Je bent dus weer thuis.'

Het is best vreemd dat ze dat zegt. De date was gisteravond. Dacht ze soms dat ik bij Marine Ices zou blijven slapen?

'Ja, tuurlijk. Hoe gaat het? Hoe was jouw avond?'

'Leuk,' zegt ze. 'Ik ben thuisgebleven. Ik had uiteindelijk totáál geen zin om de deur uit te gaan.'

Ik weet dat dit hatelijk bedoeld is, maar ik ga er niet op in. 'O, oké.' Er valt een stilte. 'Nou, ik had gewoon even zin om je te bellen.'

'Hoe ging het?'

'Goed, leuk, oké. Het was gezellig.'

'En?'

'En ik vind hem leuk, hij is echt leuk. Maar…' Ik twijfel of

108

ik dit tegen haar moet zeggen. 'Ik weet nog niet zo goed of ik verliefd ben. Misschien moet ik nog één keer met hem uit om het zeker te weten.'

'Geloof me,' zegt ze. 'Dat is echt niet nodig.'

'Ik moet niet nog een keer met hem uit om erachter te komen?'

'Nee, je bent niet verliefd op hem.'

Ai. Als ik *bitchy* was, wat ik niet ben – tenminste, dat hoop ik maar – kon ik iets zeggen in de trant van: 'Je hebt nog nooit een vriendje gehad, dus hoe zou jij dat moeten weten?' Maar dat doe ik niet. In plaats daarvan zeg ik: 'Hoe kun je dat nou zeggen, Vix?'

'Hoezo? Het is toch overduidelijk. En ik vind het niet eerlijk dat je hem zo aan het lijntje houdt.'

'Ik ben hem niet aan het voorliegen.'

'Nee, alleen jezelf.'

Ik had gehoopt dat ze een beetje was ontdooid. Maar het lijkt wel of ze alleen maar geïrriteerder is. 'Laten we het hier later over hebben,' zeg ik. 'En niet over de telefoon.'

'Wat je wilt. Kom maar langs. Maar ik blijf bij wat ik zeg.' Ze hangt op. Ik staar nog even naar de telefoon en vraag me af of ik haar opnieuw moet bellen. Ik voel me verdrietig en leeg.

Natuurlijk hebben we wel eens vaker korte ruzies over onnozele dingen gehad. Ik kan me nog herinneren dat we twaalf waren en tegelijkertijd een jasje bij Miss Selfridge zagen (toen we nog niet al onze kleren op de markt kochten) waar we allebei helemaal weg van waren. Hij was er in twee kleurstellingen: zwart en blauw en zwart en rood. Hij was voor ons allebei veel te duur.

De week daarna was ik jarig en ik had pap en mam gevraagd of ik dat jasje mocht hebben, de zwart-rode. Ik was er zo blij mee dat ik hem op weg naar huis al aantrok. Een paar dagen later kocht Vix hem ook, zonder ook maar iets te zeggen, in zwart-blauw. Kennelijk zag ze het probleem niet.

'Het is toch niet dezelfde,' zei ze. 'Die van mij is blauw en die van jou rood. Wat maakt het uit.'

Maar ik vond dat we er zo belachelijk uitzagen, zoals we in dezelfde jasjes rondliepen, dat ik die van mij uiteindelijk in de kast liet hangen, hoewel ik er gek op was. Vix beweerde de hele tijd dat het haar goed recht was om dat jasje te kopen omdat zij hem als eerste had gezien, maar als dat al zo was ging het om een milliseconde. We hebben drie dagen niet met elkaar gepraat.

Maar we hebben nog nooit ruzie om een jongen gehad. Ik wil niet nog eens dat ze niet met me praat, helemaal omdat ik weet dat dit veel serieuzer is dan een of ander stom jasje.

Mijn telefoon gaat. Het is Max. Ik haal diep adem voordat ik opneem. Ik probeer al de hele ochtend te bedenken wat ik tegen hem ga zeggen als hij belt. Ik ben er nog niet uit. Ik had gehoopt dat hij later zou bellen. Als ik eerlijk ben, had ik gehoopt dat hij me zou sms'en. Of nog liever mailen.

Hij klinkt een beetje nerveus. 'Hé Rosie, alles goed? Ik heb zo'n leuke avond gehad.'

'Ja, dank je. Ik ook. Alles goed met je?'

'Ja, chill,' zegt hij. 'Luister, ik weet dat het een beetje kort dag is, maar heb je zin om hier te komen eten, vanavond? Rufus heeft me gevraagd je uit te nodigen.'

'Vanavond?'

'Ja. Er komen nog zes anderen. Jon, de bassist van Fieldstar en zijn vriendin Anna, Rob, de zanger en zijn vriendin Julie, en Simon, de gitarist, met Karen. O, plus Rufus en Isabella natuurlijk.'

'Cool,' zeg ik. Ik probeer mijn opwinding te verbergen. Dineren bij Rufus is al geweldig, maar dit is helemáál geweldig. Celebrity Diner. Ik kan me vaag herinneren dat ik een afspraak heb met Sky en Vix, iets met kleren ruilen of zo, een afspraak van eeuwen geleden, maar ze zullen het best begrijpen. Je wordt toch niet elke dag uitgenodigd om met de complete Fieldstar-band te eten! Nu ga ik ze eindelijk allemaal ontmoeten! En wat fantastisch dat Rufus weer wil dat ik langskom! Wat zou Isabella dit keer koken? Ooo, ik hoop dat ze weer van die gesmolten-chocolade-puddinkjes maakt...

En dan dringt het tot me door. Iedereen, behalve Max en ik, is een stel. Volgens mij denkt hij nu dat ik zijn vriendinnetje ben. Volgens mij denkt Rúfus dat ik zijn vriendinnetje ben. Hoe moet ik dit aanpakken? 'Eh... allemaal stelletjes?'

'Ja, dat is toch oké?'

Vraagt hij nou of ik het oké vind om een stel te zijn, of vraagt hij alleen of ik het oké vind dat de anderen dat zijn?

'Ja, waarschijnlijk wel,' zeg ik, maar ik weet niet welke vraag ik beantwoord.

'Zoiets als een viervoudige date, zeg maar. Ik zou natuurlijk liever een tweede date met jou alleen hebben, maar Rufus wilde je er echt bij hebben. We kunnen altijd nog een keer met z'n tweeën uitgaan.'

'Tuurlijk, waarom niet?'

Misschien is dat niet zo'n slecht idee. Ik wilde toch binnenkort een tweede testdate, of niet soms? En op deze manier hoef ik niet alleen met hem te zijn, als ik toch tot de conclusie kom dat ik geen interesse heb. Of misschien straalt er wel iets van de band op hem af en ga ik hem opeens superaantrekkelijk vinden. Dat is misschien net de nieuwe impuls die we nodig hebben.

Als ik de agenda op mijn telefoon check, blijkt dat ik inderdaad vanavond met Vix en nog een paar schoolvriendinnen op een kledingruilavond bij Sky word verwacht. Ik bel Sky om haar het slechte nieuws te vertellen. Ze zegt dat ze het helemaal begrijpt, en dat ze maar al te graag het Fieldstar-etentje zou bijwonen (volgens mij zit ze naar een uitnodiging te vissen, maar het is niet aan mij om haar uit te nodigen) en dat ze het me vergeeft, zolang ik maar beloof om van elk bandlid een handtekening te regelen.

Daarna ga ik, zoals afgesproken, bij Vix langs. We hebben een ongemakkelijk, stijf gesprek en ik weet dat ik het een andere keer moet rechtzetten, als we meer tijd hebben. Ik weet alleen niet goed hoe. In ieder geval praat ze nog met me. Als ik zeg dat ik vanavond niet kan komen, haalt ze haar schouders op, alsof ze teleurgesteld is, maar niet verbaasd. Ik zweer dat ik het ga goedmaken. Dan gaan we iets leuks doen, een meidenavondje. Met z'n tweetjes. Binnenkort.

13

Een etentje met Fieldstar

Ik dof me helemaal op – niet voor Max, maar voor Rufus en zijn bandleden. Ik heb mijn nieuwste, coolste, strakste jurk aangetrokken. Ik heb hem (natuurlijk) op de markt gekocht, het is een vintage jarentachtigjurkje van een of andere Japanse ontwerper. De marktverkoper zei dat als ik er zuinig op was, hij over een paar jaar goud waard zou zijn. Dat maakt me verder weinig uit. Ik ben gewoon blij dat hij goed past en dat de kleur (een prachtige paarstint) me goed staat.

Max biedt aan me op te halen, zodat we net als de anderen samen kunnen binnenkomen, maar ik zeg dat dat niet nodig is – ik woon ernaast, nota bene! Ik ben er precies om half acht, stukken vroeger dan wie dan ook – niet echt de 'rode-loper-entree' waarop ik had gehoopt. Ik ga zitten praten met Max en we spelen een bowlingspel op de Wii van Rufus. Max wint de hele tijd. Maar hij heeft natuurlijk vaak kunnen oefenen. Blijkbaar houden rocksterren er niet van om op tijd te komen, of misschien dragen ze gewoon geen horloge. Om negen uur komen ze met z'n allen binnenrollen, samen met Rufus; ze zijn in de buurtkroeg wezen indrinken.

Bij hun binnenkomst komt er een hoop kabaal uit de gang. Ik spring nerveus van de bank op, strijk mijn jurk glad en probeer er *sophisticated* uit te zien. Ik kijk hoe de leden van Fieldstar een voor een de kamer in komen, alsof de poster aan mijn muur tot leven is gekomen. Rufus komt als eerste binnen. Hij geeft mij een kus op de wang en Max een stoot tegen zijn schouder. Dan komt Jon, die kleiner is dan de rest, en erg verlegen. Dat weet ik uit een interview. Er stond ook in dat hij verzot is op chocola (zijn lievelingseten) en dat zijn lievelingskleur groen is. Hij knikt me verlegen toe. Simon, die dun en pezig is (lievelingseten: bonen op toast; lievelingskleur: blauw), glimlacht breeduit. En dan heb je Rob nog, die lang en donker is en superknap (en bij interviews geen antwoord geeft op stomme vragen). Hij ziet me niet eens staan. Ik kan hun vriendinnen in de hal met Isabella horen praten. Ik vraag me af of het de bedoeling is dat ik me bij hen aansluit.

'Rosie, dit zijn Simon, Jon en Rob,' zegt Rufus. 'Jongens, dit is Rosie, het vriendinnetje van mijn kleine broertje. Ze woont hiernaast. Haar vader is degene die de hoes ontwerpt.'

Ik wil net gaan zeggen dat ik niet echt Max' vriendinnetje

ben, maar houd toch maar mijn mond. Dit is niet het juiste moment. Ik kijk Max zijdelings aan. Hij ziet er zo gelukkig uit. Dus ik geef iedereen glimlachend een hand en bedenk dat als iemand twee maanden geleden had gezegd dat ik in dit huis handen zou staan schudden met de bandleden van Fieldstar, ik diegene voor gek had verklaard. Twee maanden geleden zou ik ook hebben gezegd dat Fieldstar ontmoeten het allergaafste was wat ik maar kon bedenken. Wat niet zo is. Het voelt heel… normaal.

De meiden komen binnen. Ze zijn stuk voor stuk erg knap, maar op een ingetogen manier. Ze dragen allemaal jeans. Ik vouw mijn armen ter bescherming voor mijn jurk en glimlach, alsof ik het meest zorgeloze meisje ter wereld ben. Ze nemen me op en glimlachen ook naar mij. Het voelt een beetje alsof je op school naast het kliekje coole meiden staat en je realiseert dat hoe aardig ze ook tegen je doen, je er nooit bij zult horen. Isabella stelt ze aan me voor en verdwijnt dan weer naar de keuken.

Max en ik zitten op de bank tegen elkaar aan geperst omdat er niet genoeg ruimte is voor iedereen. We zitten zo dicht op elkaar dat ik zijn polsslag kan voelen. Zijn hart gaat als een gek tekeer. O god, volgens mij glijdt zijn arm achter de leuning langs, min of meer om mij heen, maar misschien is dat de enige manier waarop hij comfortabel zit. Ik kijk recht voor me uit, voor het geval hij weer in mijn ogen wil staren. En omdat ik me zo opgelaten voel, doe ik iets wat totaal niet bij me past.

Ik zeg: 'Ik ga eens kijken of Isabella hulp nodig heeft.'

Mam zou trots op me zijn. Tenminste, die paar seconden voordat ze geveld zou worden door een hartaanval.

Ik kom moeizaam overeind, probeer niet tegen Max aan te stoten en loop naar de keuken. Isabella is boven een indrukwekkend fornuis met pannen in de weer. Het fornuis is mintgroen en beslaat zo'n beetje de halve keuken. Ik sta er met open mond naar te staren alsof het een tijdmachine is.

'Hoi, Rosie. Jij vindt Argarr mooi? Dat is mijn lief schat,' zegt ze spinnend.

Heeft ze nog een man dan? Weet Rufus daarvan? 'Sorry? Wie is Argarr?'

Ze streelt het groene monster. 'Aga. Het foornuiz. Vind jij hem mooi?'

Ik heb mensen ontmoet die hun honden of katten hun lieve schat noemden. En een van mijn schoolvriendinnen is zo gek op haar iPhone, dat ze die wel eens voor de grap haar lieve schat noemt. Maar een fornuis? 'O ja, eh… hij is heel mooi. Wat ben je aan het maken? Kan ik iets doen?'

'Het meeste is klaar. Jij kan helpen hollandaise maken, ja?'

Ik heb geen idee wat hollandaise is, maar ik heb zo'n gevoel dat er geen molens of klompen in zitten. 'Sorry, Isabella, ik kan niet koken. Zeg maar wat ik moet doen en dan doe ik een poging.'

'Jouw mama leert jou niet?'

'Nee. Zij kan ook niet koken.'

Ze kijkt geschokt. 'Wat doet zij?'

'Ze is arts. In het gezondheidscentrum hier in de buurt.'

117

'Ah, ja, ik ga daarheen. Rufus ook. Maar wat eet jij thuis?'

'Dat wil je niet weten,' zeg ik. 'Meestal kant-en-klaarmaaltijden. En een hoop salades en fruit.'

'Ik ga jou leren,' zegt ze met een glimlach.

Hollandaise blijkt een soort van mayonaise te zijn, gemaakt van eigeel en boter. We eten het als voorgerecht met asperges. Ik weet niet zeker of ik wel van asperges houd, en pap zegt altijd dat je plas ervan gaat stinken. Maar ik leer tenminste iets nuttigs. Nu weet ik niet alleen hoe je thee moet zetten, een ei moet koken en een magnetronmaaltijd moet opwarmen – om maar meteen al mijn culinaire vaardigheden op te sommen – maar ook hoe ik een geweldige hollandaisesaus in elkaar moet draaien. Ik vraag me af of het lekker is met cheese & onion-chips.

Isabella lijkt het niet erg te vinden dat ik meer sta te kijken dan dat ik daadwerkelijk iets doe. Ze is ongelofelijk: mooi, slim én een fantastische kok. Voor mij zal hooguit een van die kwalificaties opgaan – ooit (hint: niet de eerste en ook niet de laatste), en zelfs dat is nog maar de vraag. Daarom is het niet erg aannemelijk dat ik ooit het vriendinnetje zal worden van een rockster.

'Ies goed dat jij nu met Max bent, ja?' vraagt ze, terwijl ze verwoed aan het roeren is.

Ik krijg een kleur. 'Min of meer. We zijn niet echt met elkaar. Ik bedoel, het is te vroeg om er iets over te zeggen.'

'Hij ies heel lief, ja? Aardig jongen. Jij moet hem ienpikken. Als mijn kleine zusje komt in Londen, zij ook kenniesmaken met Max.'

Ik voel een steek van jaloezie, wat me verbaast. Ik weet niet zeker of ik Max wel wil, maar ik weet wel dat ik niet wil dat Isabella's kleine zusje (ongetwijfeld mooi, slim en winnaar van de Tsjechische versie van *Junior Masterchef*) hem krijgt. 'Komt ze logeren?' vraag ik zenuwachtig.

'Nee, zij heeft viesa nodig. Heeft geen viesa.'

'Wat jammer,' zeg ik.

Isabella zegt dat ze alles onder controle heeft, dus ik ga weer terug naar de woonkamer. Max kijkt me met een brede glimlach aan en ik voel een kleine opwelling van genegenheid. Ik ga naast hem zitten en als zijn been langs het mijne strijkt, schuif ik niet opzij. De anderen zitten luidruchtig te praten en te lachen en grapjes te maken over wat ze allemaal hebben gedaan en over mensen die ik niet ken. Het is moeilijk om me in het gesprek te mengen, omdat iedereen elkaar zo goed kent. In plaats daarvan glimlach en knik ik veelvuldig en hoop dat het eten snel klaar is. Ik heb nauwelijks iets gegeten vandaag en ik sterf van de honger.

Eindelijk komt Isabella de kamer in om aan te kondigen dat we aan tafel kunnen. Ze zegt dat het zo'n heerlijke, warme avond is dat we buiten moeten gaan eten. Ik heb zo'n vermoeden dat de eettafel ook niet groot genoeg is voor ons tienen. Ik ben nog nooit in Rufus' tuin geweest, hoewel ik een paar keer heb geprobeerd over de muur te gluren. Hij is prachtig. Overal hangen Marokkaanse glaslampen, er staan gigantische kaarsen en rond een lage, oude houten tafel liggen grote, kleurige kussens. In een van de hoeken bevindt zich een prieeltje waar stroken doorzichtige stof in felle kleuren voor hangen. Ik wil 'wauw!' zeggen, maar geen van de anderen lijkt erg onder de indruk te zijn. Ze zullen het wel vaker gezien hebben.

Isabella zegt dat iedereen op de kussens moet plaatsnemen en brengt dan het eten naar buiten; eerst het voorgerecht, met de hollandaise die ik niet kon maken. Ik schep een lepel saus over mijn asperges. Het ziet er niet echt lekker uit, maar misschien gaat mijn plas zo minder stinken. Daarna volgt een of ander pikant kipgerecht met rijst en salade en als toetje een waanzinnige passievrucht-cheesecake met een exotische fruitsalade. Ik vraag me af of Isabella mijn moeder wat kooklessen kan geven. Niet dat die daar tijd voor zou hebben.

Het is zo raar om Rufus samen met zijn bandleden te zien. Op de een of andere manier lijkt hij helemaal niet zo belangrijk, of zelfverzekerd, of charismatisch of knap. Ik heb ontdekt dat er in bands sprake is van een pikorde. Zelfs al noemt Fieldstar zich een 'democratie' (wat inhoudt dat ze de liedjes samen schrijven en het geld eerlijk verdelen), toch komt de drummer helemaal onderaan. Ze praten met z'n allen over een film over *Spinal Tap*, een band van vroeger. Ik heb die film nog nooit gezien, maar hij blijkt echt hilarisch te zijn. Vooral wat de drummers betreft. In de film hebben alle drummers ontzettende pech. Ze gaan op krankzinnige manieren dood, zoals spontane verbranding op het podium, of bij bizarre tuinierongelukken. Ik moet pap eens vragen de dvd te huren. Max zegt dat hij vanaf vijftien plus is, dus het spant erom of ik hem van mam mag zien. Rufus zegt dat ik moet benadrukken dat het om een documentaire gaat, want die zijn educatief. Iedereen moet hierom lachen. Ik begrijp niet wat er zo grappig aan is, maar ik doe maar net alsof.

'Het is een parodie,' fluistert Max, vriendelijk. 'Geen echte documentaire.'

'Tuurlijk,' zeg ik. 'Dat wist ik best.'

'Hé, wat is het verschil tussen een drummer en een drum-machine?' vraagt Simon. Hij wacht even en Rob en Jon roepen eenstemmig: 'Een drummachine hoef je maar één keer te programmeren.'

Iedereen lacht heel hard, zelfs Rufus. Maar het is wel duidelijk dat hij het helemaal niet zo grappig vindt.

'Hoe noem je iemand die in de buurt van muzikanten rondhangt?' vraagt Rob. 'Een drummer!'

Simon weer: 'Hoe noem je een drummer als het net uit is met zijn vriendin? Dakloos.'

Rufus kreunt en probeert, niet echt galant, de aandacht naar mij te verleggen. 'Heel grappig hoor, jongens. Weten jullie wat Rosies achternaam is? Buttery. Buttery, die is goed!'

'Leuke naam,' zegt Rob. 'Schaam jij je niet, Rufus: een beetje tienermeisjes zitten afzeiken. Hoe dan ook, hoe weet je dat je met een drummer aan het pokeren bent?'

'Hij weet niet wanneer hij moet inzetten,' dreunt Simon op.

'Laten we even van onderwerp veranderen,' zegt Karen. Zij is de aardigste van het meidenstel, Isabella niet mee gerekend, en de enige die een fatsoenlijk gesprek met mij probeerde aan te knopen. Ze zei daarstraks dat ze mijn jurk leuk vond, en vroeg waar ik hem vandaan had. 'Enne, Rosie, hoe lang is het aan tussen jou en Max?'

Nu ik erover nadenk, heb ik het toch liever over drummers. 'Eh... ik eh...'

'Ongeveer een dag,' zegt Max. 'Gisteren was onze eerste echte date. Maar we zijn al een tijdje bevriend.' Hij kijkt me stralend aan.

'Zijn ze niet lief?' zegt Rufus. Hij omhelst Isabella. Karen knikt en pakt Simons hand vast. Max pakt de mijne. Ik laat hem maar. Het voelt wel oké, niet vreselijk, niet geweldig, zelfs niet vreemd. Gewoon oké.

Dus dat is het dan. Uiteindelijk hebben anderen voor mij besloten: ik ben nu het vriendinnetje van Max. Het is aan. We zijn een officieel stel. Een paar. Ik ben nog steeds niet helemaal overtuigd of ik dat wel wil, maar ik kijk het even aan. Mam beweert altijd dat ik te snel opgeef, dat ik meer mijn best moet doen. Laat ik dat nu dan maar eens proberen.

14

Mijn toevallige vriendje

Gisteren is Sky de deur uit gegaan met een jasje dat ze nooit meer droeg en kwam ze terug met twee nieuwe topjes. Ik was nog single toen ik de deur uit ging en kwam terug met een vriendje.

'Oh my God!' gilt ze uit, als ik het haar door de telefoon vertel. 'Ik ben helemaal opgewonden! Wat is er gebeurd?'

'Dat is het 'm juist,' zeg ik. 'Er is niets gebeurd. We hebben gegeten, met de anderen zitten praten, en dat was het. Iedereen – inclusief Max – ging er automatisch van uit dat hij mijn vriendje was, dus ik dacht: laat ik maar gewoon meedoen.'

'O, ik snap het,' zegt ze, maar het klinkt niet echt alsof ze het snapt. 'Nou, goed nieuws dus. Ik wilde liever niets zeggen, maar al dat getwijfel begon iedereen een beetje de keel uit te hangen. Dus... hebben jullie al gezoend?'

'Nee joh,' zeg ik. 'Alleen een onschuldige zoen op de wang toen ik vertrok. Ik moest weer eens als eerste weg – bedankt mam – en kuste iedereen op de wang, inclusief Max dus. We zaten nog in de tuin. Ik kan toch moeilijk in het bijzijn van de hele band met hem gaan tongzoenen, of wel soms?'

Daar denkt ze even over na. 'Tijdens hun concerten wordt er volgens mij aardig wat getongd. Ze zijn vast wel wat gewend.'

'Dat is iets anders, dat weet je best!'

'Mmm.' Zij en Rich kunnen hun handen niet van elkaar afhouden, dus ze zal het wel niet begrijpen. 'Hoe dan ook, heb je hun handtekeningen nog gevraagd?'

'Eh... nee, sorry.'

'O Rosie, ik wist dat je het zou vergeten!'

'Nou, ik ben het niet vergeten,' zeg ik, hoewel de waarheid is dat het me wel was ontschoten, totdat ik weg moest, en toen durfde ik het niet meer te vragen. 'Het zou alleen nogal raar overkomen, weet je. Zo van: geef me het zout even aan en o ja, mag ik een handtekening voor mijn vriendin Sky?'

'Oké dan. Maar nu je Max' vriendínnetje bent, kun je het vast een andere keer voor me regelen. Plus alle smeuïge verhalen.'

'Afgesproken,' zeg ik. 'Ik vraag aan Max of hij Rufus om hun handtekeningen kan vragen.'

'Cool. En, heb je al met Vix gesproken?'

Ik zucht. 'Vandaag niet. Maar ze zegt nauwelijks nog een

woord tegen me. Echt verschrikkelijk.'

'Ik weet het,' zegt ze. 'Ze had het er gisteren nog over. Dat van Max vindt ze niet eens zo erg, maar wel de manier waarop je het vertelde. Of juist dat je zo lang je mond had gehouden. En ze is boos dat je ons gisteren allemaal liet zitten voor dat etentje bij Rufus. Ze vindt dat je er veel te makkelijk over denkt.'

Dat was pijnlijk om te horen, zelfs al wist ik wel hoe Vix erover dacht. Op de een of andere manier was het nog erger om het uit Sky's mond te horen. 'Dat is niet waar!' zeg ik. 'Echt. Dat weet je toch, of niet? Normaal zou ik dat niet doen – het was gewoon een ongelofelijke kans. En dat ik zo lang niets heb gezegd: ik wilde haar juist niet kwetsen. Dat ik haar nu moet gaan zeggen dat het aan is, maakt het alleen maar erger.'

'Mmm, ik ben blij dat ik niet in jouw schoenen sta,' zegt Sky, wat het er niet beter op maakt.

'Nou, bedankt, Sky!'

'Sorry,' zegt ze. 'Maar wat moet ik dan? Ik neem het zo veel mogelijk voor je op, maar uiteindelijk is het iets tussen jullie twee, toch?'

'Ja...'

'En ik ga volgende week naar India, weet je nog, dus ik kan je niet helpen.'

Sky's moeder sleept de hele familie een maand mee naar een yoga-retraite in Goa. Sky heeft er totaal geen zin in. Ze zegt dat het allemaal meditatiesessies zijn, om vijf uur 's ochtends, met een hoop stank, vreemde geluiden en afschuwelijk eten. Ze vroeg of ze in plaats daarvan bij mij mocht logeren, en van mijn ouders mocht het, maar haar moeder hield haar poot stijf en zei dat ze mee móést. Het schijnt goed te zijn voor haar spirituele groei, wat dat ook mag zijn. Sky zegt dat het haar verdiende loon is als ze er (op een olifant!) met een student vandoor gaat die daar een jaar de hippie uithangt.

'Balen.'

'Yep. Dus wanneer zie je Max weer?'

'Kweenie. Hij zal me wel bellen.'

'Ooo, hou toch eens op, Rosie. Ik kan niet tegen zo veel gretigheid! Wat ben jij toch enthousiast!'

'Doe niet zo sarcastisch. Ik moet er gewoon aan wennen.'

'Het is een leuke gast, Rosie. Zo moeilijk kan het toch niet zijn.'

'Ik weet het. Het lukt me wel.'

'Oké. Maar ik ga nog niet meteen een hoed kopen. Of een tulband, in Goa.'

'Eh?'

'Voor de bruiloft.'

'Nee,' zeg ik. 'Doe dat maar niet. En volgens mij doet Fieldstar geen huwelijksfeesten. En ik was niet van plan voor mijn vijfendertigste te trouwen.'

Ik krijg een beeld voor ogen dat ik ergens door een gangpad loop, in een met kralen bezette vintage bruids- jurk, waar ik, natuurlijk, op de markt tegenaan ben gelopen. Rufus is getuige, Katy Perry heeft mijn vrijgezellenavond georganiseerd en ik word helemaal verblind door het helse geflits van paparazzi. 'Rosie Justice' klinkt wel lekker, vind ik. Het enige probleem is dat ik me totaal niet kan voorstellen ooit met Max te willen trouwen. Behalve als ik hem na de gelofte een hand mag geven.

Vix is er niet als ik haar bel, dus laat ik een berichtje achter of ze me terug wil bellen. Ik heb Sky op het hart gedrukt niets te zeggen; ik wil niet dat Vix denkt dat zij het weer als laatste te horen krijgt. Daarna besluit ik Max te bellen. Ik moet wel een beetje enthousiast overkomen, toch? Terwijl de telefoon overgaat, zeg ik hardop achter elkaar: 'Max is mijn vriendje', om het idee in mijn hoofd te stampen. Sky's moeder noemt dat een mantra. Als je iets maar vaak genoeg herhaalt, ga je het kennelijk volkomen normaal vinden.

'Max is mijn vriendje. Max is mijn vriendje. Max is mijn vriendje. Max is mijn vriendje. Max is mijn vriendje. Max is mijn vriendje. Max is mij...'

Max neemt op. 'Hallloooo,' zegt hij. Hij klinkt superblij dat ik bel. 'Alles goed? Goeie avond, toch, gister?'

'Ja,' zeg ik. 'Ik heb het geweldig gehad.'

'Mooi! De hele band heeft je goedgekeurd,' zegt hij. 'Je paste er helemaal bij.'

'Meen je dat?' vraag ik stralend. 'Ongelofelijk.'

'Dus als je als introducé mee wilt naar een van de afterparty's van hun concerten deze zomer, om te beginnen met het G festival over een paar weken, hoef je maar een gil te geven, zeiden ze.'

'Fantastisch!' Oh my God! 'Te gek.'

Ik heb pap en mam nog niet gevraagd of ik naar het G festival mag, maar dat zien we later wel.

'Luister.' Hij ademt diep in. 'Ik hoop niet dat je dat hele vriendje-vriendinnetjegedoe erg vond. Ze hadden het gewoon aangenomen.'

'Eh... ja.' Ik voel dat ik helemaal rood word en ik ben blij dat hij me niet kan zien.

'Dus tussen ons is alles oké?'

'Tuurlijk.'

'En klopt het? Is het aan?'

'Eh... ja, ik denk van wel. Als je het zo wilt noemen.' Jeetje, dat klinkt ook niet erg enthousiast. Misschien moet het lijken alsof ik cool probeer te doen. 'Wie heeft er nou etiketjes nodig?' zeg ik er nog achteraan.

'Mooi. Dus wat ik me zat af te vragen: heb je zin om vanavond weer iets samen te doen, een echte tweede date. Naar de bios misschien?'

Ik twijfel. Het gaat me te snel. En ik moet het nog met Vix zien recht te zetten. 'Ik kan niet, Max, sorry. Niet dat ik niet wil, maar ik moet vanavond naar Vix. Ik had gisteravond eigenlijk een soort van afspraak met haar die ik heb laten schieten, en daar baalt ze van.'

'O, oké, tuurlijk.' Hij klinkt teleurgesteld.

'Morgen kan wel.'

Hij klaart op. 'Oké, dan doen we het morgen.'

Tegen de avond heeft Vix me nog steeds niet teruggebeld, dus ik besluit onaangekondigd bij haar op de stoep te staan. Ik voel me idioot zenuwachtig, al ben ik zeker een miljoen keer bij haar over de vloer geweest. Ik heb een van de jurken bij me die ik gisteren zou hebben meegenomen naar het kledingruilfeest. Het is een mouwloos jurkje uit de jaren zestig, met een groen paisleypatroon. Vix was er altijd al gek op en nu ze wat is afgevallen, zou hij haar prima moeten passen. Het is mijn vredesoffer. In plaats van hem voor een van haar kledingstukken te ruilen, ruil ik hem voor haar vergeving.

Maar Vix is er niet. Haar moeder ziet er verbaasd uit als ze opendoet.

'O Rosie, sorry, Vicky is niet thuis. Ze is met een van haar schoolvriendinnen op pad, Katy, volgens mij. Je kunt haar waarschijnlijk wel op haar mobiel te pakken krijgen.'

'Oké.' Ik sta een beetje ongemakkelijk van de ene op de andere voet te wippen, onzeker over wat ik moet zeggen of doen. 'Dan eh… bel ik haar wel.' Ik wil niet dat Vix' moeder weet dat ik dat al heb geprobeerd, en dat ze me niet terugbelt. Misschien heeft ze het al geraden. Of misschien heeft Vix wel gezegd dat ze boos is, want haar moeder kijkt me met een vriendelijke, meelevende blik aan. 'Als je wilt kan ik als ze thuiskomt zeggen dat je langs bent geweest, en haar vragen of ze terugbelt.'

'Bedankt. En kunt u dit aan haar geven?' Ik reik haar de plastic tas aan waar de jurk in zit. 'Het is een cadeau, zeg maar.'

'Natuurlijk,' zegt haar moeder met een glimlach. 'Doe rustig aan, Rosie, en tot snel.' Ze maakt aanstalten om de deur dicht te doen.

Ik steek mijn hand uit om haar tegen te houden. 'Nou, misschien kan ik er beter een briefje bij doen.' Ik zoek in mijn tas naar pen en papier en schrijf dan in mijn netste hanenpotenhandschrift:

Voor Vix,
Een cadeautje voor je, om het goed te maken.
Bel me!
Voor altijd hartsvriendinnen,
R xxxxx

Ik vouw het twee keer dubbel en geeft het aan Vix' moeder, die het in de tas bij de jurk stopt. Pas later realiseer ik me dat het bericht op de achterkant van een servet van Marine Ices is geschreven. Dat komt misschien bot over. Ik hoop maar dat ze het niet ziet.

15

De antidate

Welke film wil je zien?

Het is een sms'je van Max. Het is vijf uur 's middags en onze date is over een paar uur. Ik weet opeens niet zo zeker of het wel zo'n goed idee is om naar de bioscoop te gaan. Hoe meer ik erover nadenk, hoe meer ik het idee krijg dat Max er alleen maar heen wil omdat het er donker is, en hij me wil gaan zoenen. Anders had hij zelf wel een film voorgesteld, toch? In plaats daarvan laat hij de keuze aan mij, wat aangeeft dat het hem niet uitmaakt, wat waarschijnlijk een code is voor: *Ik ben niet echt van plan naar het scherm te kijken. Hint hint.*

Jezus.

Ik kan het hem niet echt kwalijk nemen. Strikt genomen is dit onze derde date, en hij heeft alleen nog maar een zoen op zijn wang gekregen. Als de rollen omgedraaid waren, zou ik me ook gaan afvragen of hij me wel echt zag zitten. Ik vraag me af of hij zich dat zit af te vragen. Of dat hij denkt dat ik wel érg rustig aan doe.

Ik kijk online wat er bij Odeon draait. Er zijn vanavond vijf films te zien: een romantische komedie, een of andere bizarre Japanse film met ondertiteling, een actiefilm over de oorlog in Irak, een enge horrorfilm met gruwelijke martelingen en een tekenfilm over een reusachtige hond met superkrachten. Voor elk wat wils. Maar welke is het meest geschikt voor mij, het meisje dat niet gekust wil worden? Ik kijk de filmlijst nog eens door en zucht. Er zit maar één film bij die ik zou willen zien en die ik meteen zou kiezen als ik vanavond met Sky of Vix naar de bioscoop zou gaan. De romantische komedie is gebaseerd op een boek dat ik heb gelezen en er speelt een actrice in uit een van mijn favoriete series. Hij klinkt goed. Maar het lijkt me wel duidelijk dat ik met Max niet naar een romantische film moet. Misschien wordt hij op een idee gebracht.

Dus waar het om gaat is: van welke film knapt hij het meeste af? Ik overweeg de horrorfilm (geen normaal mens wil tijdens een martelscène gaan tongzoenen, toch?) maar schrijf die toch meteen af. Vooral omdat ik een pussy ben; als ik bang word, grijp ik de dichtstbijzijnde hand – of spring op de dichtstbijzijnde schoot, wat ook weer het verkeerde signaal zou afgeven. De griezelfilm valt sowieso af, want die is voor achttien plus. Dan blijven de actiefilm, de tekenfilm en de bizarre Japanse film over.

De actiefilm zou goed kunnen (geen normaal mens wil

tongzoenen terwijl er mensen worden opgeblazen, toch?),
ware het niet dat hij drie uur duurt, en ik heb beloofd dat
ik vanavond vroeg thuis zou zijn. De tekenfilm kan ook.
Er zouden natuurlijk een hoop irritante kinderen met hun
moeders in de zaal zitten, die er fel op tegen zouden zijn als
er werd gezoend. Alleen is de laatste voorstelling om zes
uur. Dus die valt ook af. Zodat er maar één film overblijft.
Dat wordt dus de bizarre Japanse film met ondertiteling.

Max staat om half zeven bij me op de stoep. Hij ziet er
nerveuzer uit dan normaal, en hij heeft hele zweterige
handpalmen. Daar kom ik achter als hij mijn hand vastpakt terwijl we over Camden Road naar de bioscoop op
Parkway lopen. Ik doe net alsof ik het niet merk. Maar als
hij mijn hand loslaat om bij het zebrapad op de knop voor
het voetgangerslicht te drukken, veeg ik mijn hand stiekem
af aan mijn jeans.

'Je zit vol verrassingen, Rosie,' zegt hij, terwijl we vlak bij
de bioscoop zijn. 'Nooit gedacht dat je van Japanse films
hield.' Hij klinkt opgetogen over mijn filmkeuze.

'O ja,' zeg ik. 'Dat zijn de beste. Niet dat ik er zo veel
heb gezien, maar eh... de Japanse films die ik heb gezien
waren echt supergoed. Heel... eh... Japans.' Ik pijnig mijn
hersenen, me wanhopig afvragend of ik in mijn hele leven
ook maar één andere Japanse film heb gezien, zodat ik iets
zinnigs kan zeggen. Helaas. Het enige Japanse waar ik iets
over weet is Hello Kitty. Toen ik zes was, had ik een Hello
Kitty-etui, -schrift en -tas. Ik werp een blik op Max. Zou ik
dat moeten zeggen? Zou het indruk maken?

'Ik ben gek op manga,' zegt hij, voordat ik heb kunnen beslissen.

'O ja? Cool. Ik ook.' Ik weet eigenlijk niet precies wat manga is. Waarschijnlijk zoiets als sushi. Ik hou niet van sushi.

Hij lacht ondeugend naar me. 'Rufus was ervan overtuigd dat je naar die meidenfilm wilde – van die stomme trailer die je constant op tv ziet. Ik zou dit waarschijnlijk niet moeten zeggen, maar hij heeft er zelfs een tientje om verwed.' Hij haalt een krakend vers biljet van tien pond uit zijn achterzak. 'Gelukkig had hij het mis,' zegt hij met een tevreden uitdrukking op zijn gezicht. 'Ik zei al dat je een betere smaak had. Hij was hevig onder de indruk. We kunnen het aan snoep en drankjes uitgeven als je wilt.'

'Bedankt.' Ik voel me een oplichter. Gek, denk ik, Rufus lijkt me beter te kennen dan Max.

De bizarre Japanse film blijkt een bizarre romantische Japanse film te zijn. Dat krijg je ervan als je de kleine lettertjes niet leest. En raad eens: Japans tongzoenen verschilt weinig van Amerikaans of Europees tongzoenen; het enige verschil is dat het door Japanners wordt gedaan. En je moet de tekst op het scherm lezen om te begrijpen wat er voor en na de smakgeluiden wordt gezegd. En raad nog eens: ook Japans tongzoenen brengt Max op een idee.

Erger nog: omdat de film nogal vreemd en verwarrend is en het lezen van ondertitels hard werken is en er op het scherm niets anders is te zien, lijkt Max meteen tot actie te willen overgaan. Na een kwartier voel ik zijn arm al over mijn rugleuning om mijn schouders kruipen. Zijn hand blijft vlak boven mijn borst hangen en hij helt naar me over en legt zijn hoofd op mijn schouder. Van schrik laat ik mijn popcorn los, zodat de helft op de vloer verdwijnt.

'Oeps, sorry!' roep ik uit. Terwijl ik me uit zijn omhelzing losmaak door naar voren te buigen om mijn popcorn op te rapen, wordt hij gedwongen zijn hand terug te trekken. Maar zodra ik weer overeind kom, met de popcorn veilig op mijn schoot, probeert hij het opnieuw. Ik voel zijn hand over mijn rug zwerven. Zijn vingers kriebelen zachtjes in mijn nek. Ik voel dat hij zich naar me toe heeft gedraaid, in de veronderstelling dat ik hetzelfde zal doen, dus ik blijf recht voor me uit staren, alsof ik volledig in de film opga. Hij begint het haar op mijn achterhoofd te strelen. Het kietelt. Dan voel ik zijn adem, vlak bij mijn oor. Dat kietelt nog meer, en ik wil giechelen. Op het laatste moment duik ik weg en trekt hij zich terug. Zelfs in het gedimde licht kan ik zien dat hij gekwetst is. Misschien moet ik me dan toch maar laten kussen, denk ik, dan hebben we dat ook weer achter de rug. Misschien kan hij wel heel goed zoenen – misschien vind ik het, per ongeluk, zelfs wel lekker. Maar ik kan het niet. Het voelt niet goed. Ik denk dat ik er gewoon nog niet klaar voor ben. 'Eh... Max, ik hou niet zo van zoenen in het openbaar,' fluister ik bij wijze van excuus. 'Daar word ik een beetje ongemakkelijk van. Sorry.'

Max knikt, alsof hij het begrijpt, maar hij ziet er nog steeds teleurgesteld uit, dus probeer ik het goed te maken. 'Wil je wat popcorn?' vraag ik, terwijl ik de beker omhooghoud.

Een schrale troost, ik weet het. Hij schudt zijn hoofd. Uit schuldgevoel laat ik hem mijn hand een tijdje vasthouden, totdat hij kramp in zijn elleboog krijgt van het leunen op het steuntje tussen ons in.

'Vind je het wat?' fluistert hij. 'De film, bedoel ik?'

Ik kijk hem aan en schud mijn hoofd. 'Niet echt.' Dat is een understatement. Ik heb geen idee waar het over gaat.

'Wil je ergens anders heen?'

'Oké.'

We proberen zo stil mogelijk weg te sluipen, waarbij we de anderen in onze rij zo min mogelijk proberen te storen. Iemand sist afkeurend, wat me irriteert, want ik doe mijn best om beleefd te doen, dus sis ik terug. Max moet lachen en grijpt me bij mijn arm om me weg te leiden.

Buiten is het nog steeds licht, wat op de een of andere manier altijd als een volslagen verrassing komt als je de bioscoop uit gaat. We houden stil bij de uitgang en staan even met onze ogen te knipperen.

'Mag ik iets vragen?' zegt Max. 'Wat was die vent nou met die boom aan het doen?'

'God mag het weten.'

'En waarom waren die in lakens gehulde meiden nou de hele tijd aan het rondrennen?'

'Wil je het echt weten? Ik heb geen flauw idee.'

'Maar ik dacht dat jij die film zo graag wilde zien.'

'Eh... ik dacht dat het iets anders was,' zeg ik. 'Foutje. Sorry.' Ik ben even stil. 'Denk je dat Rufus zijn popcorngeld terug wil?'

Hij lacht. 'Nah. Dat zit wel goed. Hij hoeft het trouwens niet te weten. Nou, wil je liever bij mij thuis een dvd kijken?'

'Oké.'

Gelukkig is er niemand als we binnenkomen, zodat ik geen discussie met Rufus hoef aan te gaan over Japanse art-films. Max dirigeert me naar de woonkamer en zegt dat ik alvast lekker moet gaan zitten terwijl hij een film uitzoekt.

'We hebben hier een complete videotheek,' zegt hij, terwijl hij een kast naast de tv doorzoekt. 'Wat dacht je van *Batman*? Of heb je liever *Fieldstar on tour*? *Fieldstar in concert*? *Fieldstar live at Palladium*?'

'*Batman* is oké,' zeg ik. 'Maar kies jij maar.'

Hij lacht. 'Goed idee.'

Nadat hij de dvd heeft opgezet, dimt hij de lichten en komt naast me op de bank zitten. Het duurt niet lang of zijn arm glijdt alweer achter me langs en nestelt zich om mijn schouder. We zitten een tijdje in stilte naar de film te kijken als hij opeens heel diep inademt. 'Ik wil je echt heel graag kussen, Rosie,' zegt hij uiteindelijk. 'Niemand kan ons hier zien, dat beloof ik je. We zijn echt alleen.'

Ik merk dat het een hele opgave voor hem is om dit te zeggen. Ik voel mijn wangen branden. Geen enkele jongen is ooit zo direct tegen me geweest en ik weet niet zo goed hoe ik moet reageren. Mijn eerste instinct is te liegen – het is een beetje gênant Max, maar ik heb zo'n branderig gevoel, je weet wel, alsof er een koortslip aan zit te komen. Maar ik wil hem niet nog een keer kwetsen. En bovendien, hij woont naast me, dus wat moet ik zeggen als de koorts-lip nooit doorzet?

'Ik weet het, Max. Ik ben alleen een beetje verlegen,' zeg ik tegen hem. Ik ben helemáál niet verlegen. Sky en Vix zouden niet meer bijkomen van het lachen als ze dit zou-den horen, maar ze zijn er niet, en gelukkig heeft Max me nog nooit met andere jongens meegemaakt.

'Ah,' zegt hij, terwijl hij mijn rug streelt. 'Dat is helemaal niet nodig. Je bent zo lief, Rosie.'

'Zo lief ben ik niet,' fluister ik, maar ik geloof niet dat hij me hoort. Het ironische is dat ik me opeens echt heel ver-legen voel. Verlegen, opgelaten en onhandig, alsof ik nog nooit met iemand heb gezoend.

'Het hoeft niet. Je kunt me ook een zoen op mijn wang geven, als je dat liever wilt,' zegt hij.

'Oké,' zeg ik, opgelucht.

Hij buigt naar me toe en wijst met zijn vinger op het mid-den van zijn wang. Ik tuit mijn lippen om mijn kus op de juiste plek te plaatsen, als hij opeens, zonder waarschu-wing, zijn gezicht negentig graden naar rechts draait. Er volgt een onhandige botsing van lippen en neuzen.

'Sorry,' zegt hij zonder enig spoor van spijt in zijn stem. 'Ik kon het niet laten. Doe nog maar een keer. Dit keer houd ik mijn hoofd helemaal stil, dat beloof ik je.'

'Oké,' zeg ik, terwijl ik mijn lippen nog eens tuit. Ik kom dichterbij, wat voorzichtiger dit keer, klaar om terug te trek-ken als hij dit grapje nog eens uithaalt. Ik had het kunnen weten: net als mijn lippen op het punt staan zijn wang te raken, flikt hij het opnieuw. Ik duik weg, maar ik moet wel lachen. 'Max! Wat ben jij sneaky!' roep ik uit.

Hij moet ook lachen. 'Sorry, ik beloof dat ik het niet meer zal doen. Op mijn erewoord. Misschien.'

'Oké dan. Niet dat ik je geloof.' Ik ben helemaal duizelig van al dat gedoe met die hoofden. Als hij me zo graag wil kussen, moet ik hem misschien maar zijn gang laten gaan, denk ik. Dus bij de derde poging, als hij weer hetzelfde trucje uithaalt, duik ik niet meer weg. Ik houd mijn gezicht stil en laat hem zijn lippen op de mijne drukken. Hij lijkt even verbaasd te zijn en neemt dan mijn gezicht in zijn handen en zoent me echt. Hij zoent niet slecht. Hij heeft zachte, volle lippen en een vastberaden maar tedere techniek. Ik voel...

Ik voel...

Ik voel... helemaal niets. Noppes. Zero. Nada. Voor hetzelfde geld zat ik op een stuk kauwgom te kauwen waar geen smaak meer aan zit. Er komt geen einde aan. Ik wist niet dat zoenen zo saai kon zijn. Wat is dat voor zwarte vlek op het behang? Een geplette vlieg? Jezus, waar ben ik aan begonnen?

'Dank je,' zegt hij dan eindelijk, terwijl hij zich terugtrekt. Hij heeft een rood gezicht en een dromerige, glazige uitdrukking. 'Dat heb ik al zo lang willen doen.' Hij strijkt over mijn haar.

'Ik ook,' zeg ik, want het zou best wreed zijn om iets anders te zeggen.

'Je bent zo mooi, Rosie,' zegt hij.

'Jij ook,' zeg ik, want mijn verstand staat nu stil. 'Ik bedoel, dank je.'

Ik zeg dat ik moet gaan en hij wil per se meelopen tot aan het tuinhek, ook al zeg ik dat dat niet hoeft.

'Ik ben zo gelukkig,' zegt hij en hij kust me nog een keer, als hij zeker weet dat mijn ouders ons niet kunnen zien. 'Tot morgen.'

Ik zwaai gedag en doe mijn voordeur open, in de hoop dat pap en mam me niet over mijn date gaan uithoren. Tot mijn verbazing zit iedereen, inclusief Charlie – die in bed zou moeten liggen – in de woonkamer tv te kijken.

'Waar komt Rosie vandaan?' vraagt Charlie.

'Rosie is met haar nieuwe vriendje naar de bioscoop geweest,' zegt pap met een grijns. 'Ze hadden een dáte.'

'Ughhh,' zegt Charlie, die in een fase zit waarin jongetjes denken dat meisjes afstotelijk zijn. Hij kan zich niet voorstellen dat een jongen en een meisje met elkaar zouden willen praten, laat staan kussen.

'Ja,' zeg ik zacht. 'Ik begrijp precies wat je bedoelt.'

16

Zoenen met Adam Grigson

Toen ik voor het eerst zonder zijwieltjes leerde fietsen, bracht ik er niets van terecht. Pap had die dingen eraf gehaald en ik kwam hooguit een meter ver voordat ik naar links of rechts begon te hellen en omviel. Hij plukte me van de grond, gaf kusjes op de blauwe plekken, zette me weer op de fiets en hield me vast terwijl ik het opnieuw probeerde. En nog eens. En nog eens. En toen liet hij me op een dag los en had ik niet in de gaten dat ik op eigen kracht fietste, tot ik de andere kant van de tuin had bereikt. Daarna kon ik dus, eh… gewoon fietsen.

Misschien gaat het met zoenen precies zo. Bij sommige mensen gaat het vanzelf. Je beweegt naar hen toe, zij bewegen naar jou toe, en jullie monden komen als magneten bij elkaar, zelfs met de ogen dicht. Met anderen vergt het enige oefening (even voor de duidelijkheid: zonder mijn vaders hulp. Iewww). Misschien gaat het, hoe vaker ik het met Max doe, steeds makkelijker en beter, totdat ik helemaal vergeet mijn best te doen en ik er opeens van blijk te genieten. In de tussentijd zijn er genoeg dingen te verzinnen waardoor het niet zo'n beproeving is. De avond na onze eerste kus deed ik mijn ogen dicht en stelde me voor dat ik Adam Grigson kuste (zonder bakkebaarden). Dat hielp. En dat heb ik de afgelopen week dus gedaan om me erdoorheen te helpen. Het probleem is alleen dat het nu niet meer zo goed werkt.

Ik wou dat ik het hier met Sky over kon hebben, maar zij zit nu in Goa en het zal wel niet eenvoudig zijn om te bellen als je in een lotushouding mantra's zit te zingen. Ze heeft beloofd me een mail te sturen zodra ze een internetcafé heeft gevonden. Het spreekt voor zich dat ik het niet met Vix kan bespreken, hoewel we wel weer gewoon met elkaar praten. Ze was superblij met de jurk en zei dat het niet nodig was om ter verontschuldiging cadeaus te geven en dat we natúúrlijk altijd beste vriendinnen zouden zijn. Maar het voelt toch anders. Er staat een gigantisch obstakel in de vorm van Max tussen ons in. Als we met elkaar praten, hebben we het over alles behálve hem, wat idioot is, omdat er wat mij betreft verder bijna niets te melden is, zodat er eindeloos veel ongemakkelijke stiltes vallen. En als het onderwerp uiteindelijk toch onvermijdelijk ter sprake komt, lijkt het alsof ze niet echt over hem wil horen. Dus heb ik het gevoel dat ik tegen haar moet liegen. Ik heb tegen haar gezegd dat ik me realiseerde dat ik het mis had gehad, en dat ik nu voor honderd procent zeker wist dat ik verliefd op hem was en dat ik het echt heel fijn vond om zijn vriendin te zijn. Ik voelde me bijna misselijk toen ik het zei. Ze heeft het niet hardop gezegd, maar ik zag haar denken: Wie probeer je hier nou eigenlijk te overtuigen?

Maar daar ga ik me nu niet druk over maken want vandaag is het G festival in Regent's Park, en ik sta als introducé van Max op de gastenlijst. Ik hoefde pap en mam uiteindelijk niet eens echt over te halen. Toen ze zich realiseerden dat het festival min of meer om de hoek was en ik niet met allerlei jongens in een tent zou slapen of de hele dag met zeiknatte voeten zou rondlopen, vonden ze het prima dat ik ging. Max beloofde nog dat hij me in het oog zou houden.

Ik heb geen idee waar de 'g' in G festival voor staat. En ik blijk niet de enige te zijn. Max zegt dat het waarschijnlijk de g van 'gitaar' is, of van 'g-snaar' (en niet van 'g-string'), omdat alle bands die optreden net als Fieldstar gitaarbands zijn. Isabella zei dat de g voor 'groen' staat omdat het in het park is. Rufus moest lachen en zei dat het de g van 'g-spot' is. Daar heb ik wel eens van gehoord, maar ik weet niet zeker wat het is. Isabella gaf Rufus een klap, dus het leek me beter er maar niet verder op in te gaan.

Omdat ik op de gastenlijst sta, draag ik een rood polsbandje waarmee ik in het vipgebied mag komen, waar gratis eten en drinken is en waar gewone stoelen staan. Het betekent ook dat ik van een schone wc met zeep en handdoeken gebruik kan maken. Alle anderen – de betalende bezoekers – hebben een groen polsbandje om, wat inhoudt dat ze uren in de rij moeten staan voor smerige noodtoiletten, op het gras moeten zitten en hun eigen eten en drinken moeten kopen. Niet bepaald eerlijk, hè? Het idiote is dat ik me door dat rode bandje enorm belangrijk voel, alsof ik ook een celebrity ben, alsof ik boven de rest met hun groene bandjes verheven ben. Nu snap ik waarom sommige beroemdheden zich zo verwend en arrogant gedragen en zulke buitensporige backstage-eisen hebben. Ik vroeg Max waar de *rider* van Fieldstar uit bestond. Die was nogal saai: alleen wat mineraalwater, fruit en koekjes. Maar hij vertelde me dat toen Rufus en zijn vrienden hun eerste grote concerten begonnen te spelen, ze met de meest idiote eisen kwamen aanzetten, gewoon voor de lol. Rufus heeft een keer om de kop van een wild zwijn gevraagd, drie orchideeën en een groot glas vijgensap, aan te leveren door een melkmeisje met een zilveren dienblad. In plaats daarvan kreeg hij volgens mij een hamsandwich en een kop thee en het stempel 'diva' in een roddelblad.

Fieldstar is de hoofdact, dus ik heb nog uren de tijd om samen met Max van de rest van het festival te genieten, in het vipgebied rond te hangen, naar de andere bands te luisteren en de stalletjes af te stropen. Er hangt een geweldige sfeer. Iedereen loopt met een grote glimlach rond, alsof het tegelijkertijd Kerstmis, hun verjaardag én het einde van het schooljaar is. Ik kan niet wachten tot ik oud genoeg ben om met mijn vriendinnen naar een van de grote festivals te gaan, zoals Glastonbury, waar mensen drie hele dagen en nachten kamperen. Pap is er geweest toen hij jong was, en hij vertelt er nog steeds tenenkrommende verhalen over. Volgens mij wil hij er een keer met het hele gezin heen, maar ik ga écht never nooit niet samen met mijn ouders naar een muziekfestival. Pap zou zijn gênante meezing-dansje doen en mam zou waarschijnlijk lopen rondbazuinen dat mensen minder moeten drinken, en waarschuwen voor huidkanker.

Ik ben net hand in hand met Max de viptent uit gelopen, als ik Lisa tegen het lijf loop, die bitch van school. Ze groet me alsof we hartsvriendinnen zijn, en voor ik het weet sta ik te vertellen dat Rufus Justice mijn buurman is.

'En,' knik ik in Max' richting, die pal naast me staat en mijn hand vasthoudt, 'dit is mijn vriendje, Max – de broer van Rufus.'

Max glimlacht breeduit en knijpt in mijn hand. Waarschijnlijk is het de eerste keer dat ik hem in het openbaar mijn vriendje noem. Hij is zo trots dat hij met MIJ wordt gezien, *Little Miss Nobody,* dat ik me schuldig voel dat ik zijn broers beroemde naam gebruik om hem te introduceren.

Lisa neemt hem goedkeurend van top tot teen op. 'Ik ben Lisa,' zegt ze met uitgestoken hand. 'Een schoolvriendin van Rosie.'

Die durft! Volgens mij heeft ze de afgelopen drie jaar nog geen twee woorden met me gewisseld. Zonder zich van iets bewust te zijn, schudt Max Lisa's hand en toont haar zijn gebruikelijke hartelijke glimlach.

'Nou, hartstikke leuk om je tegen te komen en zo, maar

we moeten weer verder, hè Max?' zeg ik, voordat Lisa zich in onze groep weet te kletsen. 'We hebben met Sky bij het sieradenstalletje afgesproken en we zijn al laat. Sorry, Lisa.'

Max kijkt verbouwereerd. 'Maar ik dacht dat Sky in...'

'...haar eigen wereldje zit, zoals gewoonlijk! Kom, we kunnen nu maar beter naar haar toe gaan, voor ze weer verdwenen is.'

'O, oké,' zegt Lisa, zichtbaar teleurgesteld. 'Misschien tot later dan.'

'Misschien,' zeg ik met mijn beste nepglimlach. 'Veel plezier.'

Ik giechel bij het weglopen. 'Wat een lef,' zeg ik tegen Max. 'Ze doet net alsof ze mijn beste vriendin is, terwijl ze op school nog niet eens dood met me gevonden wil worden.'

'O ja? Ik begrijp af en toe helemaal niets van jullie meiden. Toen ze kwam aanlopen, zou ik zweren dat jullie elkaar mochten.'

'Mmm, soms moet je voor het gemak doen alsof,' zeg ik, met een stekend schuldgevoel bij de gedachte dat ik met hem ook doe alsof. Maar ik ben niet zo hypocriet als Lisa. Ik vind Max écht leuk, ik wacht alleen totdat de vonk overspringt. En dat komt nog. Gauw. Ik weet het zeker.

We hebben een fantastische dag. Max en ik proppen ons vol met gratis eten, drinken en ijs, en hij koopt bij een stalletje zelfs een verse suikerspin voor me. Ik heb tweedehandskleren gepast en sieraden uitgeprobeerd, acrobaten en dansers gezien en op een gigantische trampoline gesprongen. De zon brandt aan de hemel en de lucht is zwaar van de geur van zonnebrandcrème en overheerlijk eten. Ik kan me niet herinneren dat ik ooit zo veel plezier heb gehad. Het voelt alsof je tegelijkertijd het beste warenhuis, het circus én een pretpark bezoekt. Sommige bands zijn echt goed, zelfs die waarvan ik nog nooit heb gehoord, en tussendoor is het heerlijk om in het vipgebied rond te hangen en te kijken wie er binnen komt lopen. Als ik nu met iemand de celebometer kon spelen, zou mijn score alle records verbreken. Ik heb tv-presentatoren gezien, acteurs, modellen, rocksterren, en ik zag dat sommigen ook naar mij keken en zich duidelijk afvroegen wie ik was. Ik doe natuurlijk heel cool en probeer niet te reageren of al te erg onder de indruk te zijn. Ik glimlach gewoon naar ze, mysterieus, alsof ik ze ergens van ken, maar niet meer precies weet waarvan.

Het begint al donker te worden en over niet al te lange tijd zal Fieldstar aan hun set beginnen. Max en ik liggen haaks op elkaar in het gras. Mijn hoofd rust op zijn borst. Hij streelt met één hand over mijn haar, en met zijn andere hand over mijn arm. Het voelt prettig – niet spannend of opwindend, maar gewoon fijn; ik voel me veilig en bemind. Ik zou hem een stevige omhelzing willen geven.

'Ik wou dat dit festival niet maar één dag duurde,' zegt Max. 'Het zou leuk zijn om samen in een tent te slapen.'

'Ja,' zeg ik. 'Alleen zouden pap en mam dat nooit goedvinden. Behalve als ik bij Isabella in de tent lag en jij bij Rufus, en er een hangslot op zat.'

'Mmm,' zegt hij. 'Alleen zou Rufus zijn eigen hotelkamer krijgen. De bands hoeven niet te kamperen. En dat is maar goed ook, want ik zou nooit met hem in één tent kunnen liggen. No way.'

'Hoezo niet?'

Hij zegt even niets. 'Rufus heeft nogal last van slaapwandelen,' zegt hij zacht. 'Niet doorvertellen, maar toen we klein waren kwam hij voortdurend in de problemen. Eén keer liep hij in zijn nakie door de tuin. Een andere keer probeerde hij uit zijn raam te klimmen. Hij kan zich er de volgende dag niets meer van herinneren en dan schaamt hij zich dood. Het is ons grote familiegeheim. Volgens mij heeft hij er niet meer zo heel erg veel last van, maar zijn slaapkamerraam kan niet verder dan op een kier open, voor de zekerheid.'

'Wauw,' zeg ik. 'Natuurlijk vertel ik het niet door. Arme Rufus.'

'Ja. Het drummen helpt, volgens mij. Daarom is hij er eigenlijk mee begonnen. Hij was als kind hyperactief en mijn ouders dachten dat het slaapwandelen misschien zou ophouden als hij zijn energie ergens in kwijt kon.'

'Wauw, dus als Rufus niet zou slaapwandelen zou Fieldstar niet bestaan?'

'Nee, waarschijnlijk niet. Je houdt je mond erover, hè?' zegt hij. 'Hij zou het verschrikkelijk vinden als dit uitkwam.'

'Natuurlijk. Aan wie zou ik het moeten vertellen?'

Max strijkt over mijn wang en komt half overeind, leunend op zijn onderarm. 'Laten we onze plaatsen opzoeken,' zegt hij. 'Isabella had beloofd dat ze voor ons een goed plekje zou vrijhouden.'

Fieldstar heeft nog nooit zo'n goed optreden gegeven. Ik moet eerlijk zeggen dat ik ze nog maar twee keer heb zien spelen, dus wat weet ik er nou van, maar zij blijven het maar zeggen, en ook dat wij het beste publiek zijn dat ze ooit hebben meegemaakt, en dat we allemaal fantastisch zijn, dus dan zal het wel waar zijn. Ze spelen een overweldigende set van een uur, met al hun bekende songs, plus een paar nummers van hun nieuwe album, waar pap de cover voor ontwerpt. Eerst voel ik me een beetje opgelaten bij het meezingen omdat ik meer dan alleen een fan ben, ik ben een vriendin. En ik sta pal naast Mick Jagger, die er niet veel aan lijkt te vinden. Maar het is donker en er staan honderden mensen mee te zingen en met hun armen te zwaaien, en al snel maakt het me niets meer uit: ik laat me gewoon door de muziek en de sfeer meevoeren. Ik voel me zo relaxed en gelukkig dat ik, wanneer Max me vastpakt en een stevige zoen op mijn lippen drukt, hem bijna terug zou willen zoenen.

17

Help! Hij houdt van me...

Ik ben nog half in slaap als ik mijn e-mail even wil checken
en er meteen een berichtje van Sky verschijnt.

Sky: Rosie, je bent online, godzijdank!

Ik: Hé Sky, wat fijn om van je te horen. Toch een
internetcafé gevonden? Hoe gaat het?

Sky: Wil je het echt weten? Ik word helemaal gek! Het
zit hier vol met vage figuren. Mam vindt het geweldig!

Ik: Arme jij.

Sky: Zeg dat wel. Het enige goeie is dat ik lekker bruin
word. Hoe gaat het bij jou?

Ik: Wel oké. Gister met Max naar het G festival geweest.
Ik stond op de gastenlijst!

Sky: Ik ben jaloers! Wie waren er?

Ik: Te veel om op te noemen. Weet niet eens al hun

namen. Iedereen die je maar kunt verzinnen.

Sky: Iedereen? Adam Grigson ook?

Ik: Nou oké, die was er als enige niet. Pech. Misschien zit hij weer thuis. Ik heb in cafeetjes naar hem zitten uitkijken, zonder succes. Jammer dan. Weet je wie er wel was? Geen celebrity, maar Lisa, die bitch van school. Ze stond buiten het vipgebied te wachten en deed net alsof ze mijn beste vriendin was, zodat ze mee naar binnen kon. Niet te geloven, toch?

Sky: Nee, wat een verhaal! Rosie, besef je wel dat jij dat net zo goed had kunnen zijn, als je Max niet kende? Dan zou jíj bij het vipgebied rondhangen, op zoek naar een bekende zodat je mee naar binnen mocht!

Ik: Shit, waarschijnlijk heb je gelijk. Best gênant. Zo heb ik het nog nooit bekeken. Ben ik echt zo erg?

Sky: Relax, ik zou naast je hebben gestaan. Nog nieuwe roddels?

Ik: Niet echt. Veel met Max geweest. Ik ben er nog steeds niet over uit. Sorry, ik weet dat het saai is. O, en ik heb het met Vix goedgemaakt, maar het voelt nog wel vreemd. Eh, verder niks.

Sky: Kom op, valt er echt niets interessants te melden? Alsjeblieft! Ik verveel me hier zooooo! Ik moet iets hebben wat me op de been houdt.

Ik denk er even over na. Ik zou haar over Rufus kunnen vertellen, maar ik heb Max beloofd dat ik dat niet zou doen. Maar ik vertel altijd alles aan Sky. En ze zit duizenden kilometers verderop in een meditatieoord. Aan wie zou ze het moeten vertellen? De yogameester?

Ik: Nououou, ik ben wel iets over Rufus te weten gekomen, iets wat niemand weet...

Sky: O ja? Zeg op!

Ik: Dit is echt geheim, oké? Rufus heeft een slaapwandelprobleem. Maar dan serieus. Dat hij uit ramen klimt en poedelnaakt over straat loopt.

Sky: Echt?

Ik: Ja, Max zegt dat hij het als kind al deed.

Ik hoor beneden de deurbel gaan. Ik ben nog steeds in mijn nachtpon en ik verwacht niemand. Ik heb totaal geen zin om dit gesprek af te breken om beneden de deur open te doen. Wat als het Rufus is? Niet dat die ooit eerder onaangekondigd langs is gekomen. Hij is waarschijnlijk nog op de afterparty, die ik moest verlaten nog voordat die goed en wel begonnen was, omdat pap en mam me per se veilig thuis wilden zien komen. Ik werp een blik in de spiegel van mijn kaptafel. Ik zie er niet uit, de mascara van gisteren is helemaal uitgelopen. Laat iemand anders maar opendoen.

Sky: Heb jij het hem wel eens zien doen? In zijn nakie door de tuin lopen?

Nou gaat die irritante bel wéér, deze keer nog langer. Ik kijk op mijn horloge: het is half elf. Mam zit op haar werk en nu ik erover nadenk, heeft pap gezegd dat hij Charlie naar een of andere zomerkampdag zou brengen. Hij komt pas over een half uur terug. Ik ben de enige die thuis is.

Ik: Wacht even, Sky. Ik moet even de voordeur opendoen.

Ik schiet mijn slippers aan en ren naar beneden, met twee treden tegelijk. Door het matglas ontwaar ik de contouren van een lange man met een helmachtig iets op zijn hoofd. Hij heeft iets groots in zijn handen. Ik doe de deur op de veiligheidsketting en gluur door de kier naar buiten. 'Hallo?'

'Een pakket voor Rosie Buttery. Er moet voor worden getekend.'

Voor mij? Ik kan me niet herinneren wanneer ik voor het laatst pakketpost heb ontvangen. Voor zover ik weet heb ik niets online besteld, en mijn verjaardag is pas over een paar maanden. 'Wacht even...' Ik word nu wel opgewonden: wat zou het zijn? Ik gris paps jas van de kapstok en trek hem over mijn nachtpon aan. Dan haal ik de ketting van de deur en doe hem voorzichtig iets verder open.

'Miss Buttery?' De koerier is rond de twintig en heel *cute*. En daar sta ik in mijn nachtjapon. Ik heb niet eens mijn tanden gepoetst. Zo gênant.

'Dat ben ik. Normaal zie ik er anders uit. Het is nogal laat geworden gisteren...'

'Oké. Eh... wilt u hier even tekenen?'

'Tuurlijk!' Ik heb een geweldige handtekening. Ik heb er eindeloos op geoefend voor als ik straks beroemd ben en bekendsta als Rosie B en handtekeningen moet uitdelen. Ik zet mijn mooiste krabbel – met een smiley in de o– en met een knikje overhandigt hij de gigantische doos. 'Oooh, weet jij wat het is?' vraag ik.

'Geen idee,' zegt hij. 'Ik weet alleen dat het met dat ding achter op de fiets een klotekarwei was. We zitten zonder bestelwagen vandaag. Veel plezier ermee.'

'O, sorry. En bedankt.'

Hij knikt en verdwijnt het tuinpad op, terwijl ik de deur achter me dichtdoe en in de hal worstel met de reusachtige kartonnen doos. Er staat: *Voorzichtig, breekbaar* op, maar hij weegt bijna niets. Ik kan geen schaar vinden, dus ris ik hem open met de hak van een van mijn moeders schoenen. Ik ben zo opgewonden dat ik bijna vergeet adem te halen. In de doos zit een enorm, enigszins geplet roze-rood boeket, een doos chocolaatjes (praliné, waar ik niet echt van hou) en een kleine, zachte gele teddybeer, waar een klein envelopje op zit gespeld. Ik trek het kaartje eruit.

Voor Rosie,
Dank je wel dat je van gisteren zo'n speciale dag hebt gemaakt.
Ik ben al bij eindeloos veel Fieldstar-optredens geweest, maar dit was de eerste keer dat ik ervan heb genoten.
Kan niet wachten tot ik je weer zie,
Liefs, Max xxxx

Wauw! Zoiets romantisch heeft nog nooit iemand voor me

gedaan. Niemand – en al helemaal geen jongen – heeft me ooit bloemen, chocola of een teddybeer gestuurd. En ook al is het nogal cliché en een beetje uncool, en kijkt de teddybeer scheel, en ga ik de chocolaatjes aan mam geven, en verpest ik de bloemen waarschijnlijk nog voor ze in de vaas staan, ik word toch overvallen door een gevoel van geluk. Ik voel me heel speciaal. Ik geloof niet dat ik me ooit speciaal heb gevoeld.

Ik ren naar boven en laat de cadeautjes en de opengerukte doos achter op de vloer en sms zo snel als ik kan aan Max: *BDKT voor de Kdootjes! J bnt zo lief. xxxxx*

En dan bedenk ik pas dat ik met Sky zat te chatten. De messagebox staat nog open, maar bij Sky's naam staat: *offline*. Balen. Ik zou haar zo graag over de cadeautjes willen vertellen en haar mening willen horen, maar nu kan ik niet meer met haar in contact komen. En ik heb geen idee wanneer ze weer online is. Misschien pas over een paar dagen.

Ik lees ons gesprek nog eens door en realiseer me dat ik niet heb gezegd dat ze aan niemand, maar dan ook echt aan niemand over Rufus mag vertellen. Ik zei dat het een goed bewaard geheim was, maar misschien had ik het nog eens duidelijk moet zeggen. Maar ze zou het toch wel begrijpen? En, zoals ik al zei, ze zit in Goa, aan wie zou ze het moeten vertellen? Ik maak me vast zorgen om niets.

Ik hoor dat er beneden een sleutel in het slot wordt gestoken. Dat moet pap zijn. 'Rosie?' roept hij in het trapgat. 'Ben je boven?'

'Ja, pap. Ik kom eraan,' zeg ik, terwijl ik mijn kamer uit

loop zodat hij me boven aan de trap kan zien.

'Wat doet al die rotzooi in de hal?'

'Wacht even…' Ik loop weer naar beneden. 'Dat zijn cadeautjes. Voor mij! Sorry, ik wilde het net gaan opruimen.'

'Mmm, ja, dat zou ik maar doen, voordat mam thuiskomt. Cadeautjes? Van wie?'

'Van Max,' zeg ik, en ik kan er niets aan doen maar ondertussen denk ik: ik wou dat ze van iemand anders waren.

'O, meis! Wat fantastisch!'

'Ik weet het! Lief, toch? Hij is zo gul en attent.'

'Het is wel meer dan dat, lijkt me,' zegt pap. Hij kijkt me met een vreemde blik aan, bijna alsof hij me voor het eerst ziet.

'Hoe bedoel je?'

'Dat lijkt me nogal duidelijk,' zegt pap. 'Hij is smoorverliefd. Anders doet een jongen zoiets niet.'

O help! Help! Help!

'Echt? Weet je dat zeker?'

Blijkbaar krimp ik ineen, want pap kijkt bezorgd. 'Wat is er, pop?'

'Maar ik ben niet verliefd op hém, pap. En dat zit er volgens mij ook niet in. Ik probeer nu al een hele tijd om meer voor hem te voelen, om meer te willen zijn dan zijn beste vriendin, maar het lukt gewoon niet.' Ik heb het gevoel dat ik over het zoenen moet vertellen, om het duidelijker te maken, maar dat is niet echt iets wat ik met mijn vader kan bespreken.

'Soms heeft het even tijd nodig,' zegt hij.

'Maar hoe lang? Ik heb geen tijd. Niet als jij gelijk hebt en hij al verliefd op me is.'

'Nou, als je zeker weet dat je niet meer wilt dan alleen een vriendschap, zit er maar een ding op. Je moet er nu een punt achter zetten, voordat het te ver gaat.'

'Maar hij zou er kapot van zijn! Ik wil hem niet kwetsen. Misschien wil hij dan zelfs geen vrienden meer zijn. '

'Hoe langer je ermee wacht, hoe meer je hem kwetst. Ja, hij zal overstuur zijn, maar als hij zo aardig is als hij eruitziet, neemt hij het als een heer op, dat weet ik zeker.'

'En ik ben zijn introducé bij de optredens van Fieldstar. Als ik hem dump kan ik daar niet meer heen. En Rufus zal me ook wel haten. En dat grote optreden bij KOKO dan, ter ere van hun nieuwe album? Daar heb ik me nog het meest van alles op verheugd.'

'Je kunt niet alles hebben, schat,' zegt pap. 'Het feit dat hij de broer van Rufus is, is geen goede reden om verkering met hem te hebben.'

'Dat weet ik ook wel.' En dat is ook zo. Ik weet heus wel wat me te doen staat. Maar waarom is iets wat zo duidelijk en simpel is dan zo ingewikkeld en zo moeilijk? Misschien kan ik, als ik echt heel hard nadenk, een plan B verzinnen.

18

Een waterdicht plan

Mijn plan B is eenvoudig én briljant: in plaats van Max
te dumpen en zijn hart te breken, waardoor hij me waarschijnlijk nooit meer wil zien of spreken, kan ik er beter
voor zorgen dat hij op me afknapt. Dan zal hij míj dumpen.
En omdat hij zo galant is, weet ik bijna zeker dat hij me niet
uit wraak van de gastenlijst voor het KOKO-optreden zal
halen. Hij zal het als mijn troostprijs beschouwen.

Ik kwam er vannacht op toen ik in bed lag en mijn hersens pijnigde voor een oplossing – wat ik al een week lang
elke avond aan het doen ben. Het is een perfect plan: er
zijn geen slachtoffers. Er valt echt niets op aan te merken.
Ik heb nu alles aan Vix verteld. Het voelt zo goed om eindelijk (bijna) open kaart te kunnen spelen en mijn hart te
luchten, en weer met haar te kunnen praten zoals we voor
dat gedoe met Max altijd deden. Ik kan het Max-vormige

obstakel bijna voor mijn ogen blok voor blok uit elkaar zien vallen, als *Tetris,* maar dan omgekeerd.

'Ik heb je zo gemist, Vix!' zeg ik terwijl ik haar voor de zoveelste keer omhels. We zitten in haar slaapkamer warme chocolademelk te drinken en zelfgemaakte brownies te eten. 'Hoewel ik het niet kan uitstaan dat je altijd gelijk hebt!'

'Ik heb jou ook gemist, Rosie,' zegt ze terwijl ze mij omhelst. 'En ik ben zo blij dat je eindelijk eerlijk tegen me bent, en tegenover jezelf, maar...'

Er is altijd een 'maar' bij Vix.

'...maar ik weet niet of dit wel de juiste aanpak is. Het is nogal... manipulatief, vind je niet? Ik bedoel, als je erover uit bent dat je geen verkering met hem wilt, kun je dan niet gewoon beter eerlijk zijn en er een punt achter zetten, in plaats van spelletjes te spelen?'

'Ja, maar zo is het minder pijnlijk.' Ik zeg maar niet dat ik op de gastenlijst voor het KOKO-optreden wil blijven staan; dat zou ze zeker afkeuren. Ze moet denken dat ik totaal niet egoïstisch ben, anders wil ze straks misschien weer niets van me weten. 'Dit is vriendelijker.'

'Misschien. Wat ben je van plan te gaan doen om hem af te schrikken? Je benen niet meer scheren? Je tanden niet meer poetsen?'

'Dat zijn twee opties. Ik heb een lijst opgesteld.'

'Rosie, ik maakte maar een grapje!'

'O, oké.'

Ze lacht. 'Nou, wat staat er nog meer op die lijst van je?'

Ik laat het haar horen. Op mijn lijst, getiteld *Hoe zorg ik dat Max op me afknapt?* staat het volgende:

1. Benen niet meer scheren.
2. Geen make-up meer opdoen.
3. Mijn tanden alleen nog maar 's avonds poetsen, en nooit voordat ik Max zie.
4. Kauwgom kauwen. Met mijn mond open. De hele tijd. (Die met fruitsmaak, zodat het niet het tandenpoetsen vervangt.)
5. Slobberige kleding dragen.
6. Een nerveuze tic ontwikkelen. Een zenuwtrek, misschien? Of iets heel irritants, zoals de hele tijd met mijn vingers knippen, of scheel kijken.
7. In iets vreselijk saais geïnteresseerd raken, zoals vogels kijken, en er dan de hele tijd over praten.
8. Gaan gapen als Max het over stripboeken of manga etc. heeft.
9. Met andere jongens flirten waar hij bij is. (Misschien moet ik deze schrappen omdat die te wreed is. Dat snap ik zonder Vix ook wel.)
10. Me onbetrouwbaar gaan opstellen: te laat komen, niet meteen terugbellen of sms'en etc.

Er is ook nog een punt elf, waar ik Vix niets over vertel: Alsmaar zeggen hoe leuk Vix is, haar zo veel mogelijk bij onze plannen betrekken en ervoor zorgen dat hij verliefd op haar wordt. Resultaat: eind goed al goed, voor iedereen.

'Dus je laat je persoonlijke hygiëne schieten, wordt de wilde vrouw van Camden Town en verandert je hele persoonlijkheid?' zegt Vix. 'Mmm, heb je al bedacht wat er gebeurt als het niet werkt en hij je nog steeds leuk vindt?'

Nee, daar heb ik niet aan gedacht. Mijn plan is waterdicht. Toch?

Ik zal er snel genoeg achter komen, want we zien hem over een paar minuten. We gaan met de metro naar het centrum om een paar bezienswaardigheden te bezoeken. Vanuit Camden Town is het maar vijftien minuten naar Leicester Square, en het plan is een rondgang te maken langs Covent Garden, Trafalgar Square, Piccadilly Circus en The Mall, die naar Buckingham Palace leidt alsof het de hoogsteigen monumentale oprit van de koningin zelf is. Max heeft Londen sinds zijn kindertijd geen fatsoenlijk bezoek meer gebracht, dus hij wil het hele toeristenprogramma afwerken. Hij lijkt het niet erg te vinden dat ik Vix heb meegevraagd, hoewel hij wel zei dat hij ook nog even met mij alleen wilde zijn.

Ik open de voordeur. Ik heb versleten jeans aan en een vormeloos sweatshirt. Ik heb niets aan mijn haar gedaan en ik heb geen spatje make-up op.

'Je ziet er anders uit,' zegt hij. 'Ik weet niet precies wat het is.' Hij bestudeert mijn gezicht. 'Ik weet het: de zwarte eyeliner ontbreekt. Je ziet er fris uit − heel natuurlijk. Leuk.'

Vix kijkt me aan. Uit haar gezichtsuitdrukking valt op te maken: Nou, dat is dan mooi mislukt.

Dit gaat een stuk moeilijker worden dan ik dacht. Bij onze

volgende afspraak moet ik me als een regelrechte emo uit-
dossen.

We nemen de metro naar Leicester Square en lopen via
Charing Cross Road naar Trafalgar Square, waar we op
een van de fonteinranden gaan zitten. Het is een prachtige dag en het barst van de backpackers die de omgeving
staan te bewonderen. Ik doe alsof het me niets interesseert
omdat ik het allemaal al ken (wat waar is), kijk de hele tijd
op mijn telefoon en probeer geen gesprek met Max aan te
knopen. Hij ziet er niet geërgerd maar bezorgd uit.

'Gaat het wel?' fluistert hij. Dat heeft hij al twee keer gevraagd.

'Ja hoor. Ik ben gewoon moe.'

'Zeker weten?'

'Ja-ha,' snauw ik hem toe. Ik erger me niet aan hem; ik
erger me aan mijn eigen gemene gedrag. Ik besluit van onderwerp en techniek te veranderen. 'Moet je al die toeristen
zien. Vix heeft ook veel gereisd, toch, Vix?' zeg ik. 'Je moet
hem over je bezoek aan de States vertellen. Daar ben jij
toch ook geweest, Max?'

Max knikt en glimlacht. 'Welke plekken heb jij bezocht,
Vix?'

'Ik heb familie in New York en ik ben in LA geweest en in
San Francisco, Washington, overal eigenlijk.'

'Ik ook. Vorige zomer was ik op een ranch in Texas – ik
heb paardgereden als een echte cowboy. Zonder zadel.'

'Echt waar?' vraagt Vix, die vroeger een echte paarden-
gek was. 'Cool. Ik heb vroeger veel paardgereden.'

Iedereen kan toch meteen zien dat Vix en Max veel meer met elkaar gemeen hebben. Misschien krijgt hij het zelf ook snel in de gaten en dan… Mooi zo, nu zitten ze te praten, nu moet ik ze even alleen laten. 'Sorry jongens, ik moet even naar de plee,' zeg ik. 'Ben over vijf minuutjes terug.' Ik begin weg te lopen.

'Zal ik niet even met je meegaan?' vraagt Vix.

'Nah, het is oké, daar zit er een.' Ik wijs naar een café. 'Tot zo.'

Ik doe er veel langer over dan vijf minuten. Nadat ik naar de wc ben geweest en wanhopig naar mijn make-uploze spiegelbeeld heb gestaard, ga ik in het café in de rij staan voor een flesje water. Op weg naar buiten valt mijn oog op een groepje demonstranten die om verbleekte foto's van Chinezen heen staan en een petitie laten rondgaan. Het heeft iets te maken met de belabberde mensenrechtensituatie in China. Ik zet mijn mooiste krabbel en neem de tijd om te lezen over de mensen die gearresteerd, gemarteld en gedood zijn, en bedenk weer wat een mazzel ik heb dat ik in Londen ben geboren. Mijn grootste probleem is hoe ik een aardige jongen die om me geeft van me af moet schudden. Het is niet eerlijk verdeeld in de wereld.

Als ik terugkom, zitten Max en Vix nog druk te praten. Ze moeten zo hard lachen dat ze pas na een minuut doorhebben dat ik er sta. Ik voel geen greintje jaloezie; ik ben blij en weet zeker dat ik op de goede weg zit.

'Hey,' zegt Max en hij steekt zijn hand naar me uit. 'Gaat het?'

'Ja hoor.' Ik laat hem met tegenzin mijn hand vastpakken en probeer Vix' blik te vermijden. 'Alles is oké. Waar zullen we nu heen gaan?'

'Laten we naar de koningin gaan,' zegt Max. 'Kijken of ze thuis is.'

'Tuurlijk is ze er. Ik heb gezegd dat we langs zouden komen.'

We hebben verder nog een hele leuke middag; we lopen de bezienswaardigheden af en eten ijs op Leicester Square. Het is nogal vermoeiend om me aan de lijst te houden en voor ik het weet doe ik weer gewoon en geniet ik van zijn gezelschap. Maar dan zegt Vix dat ze naar huis moet en Max zegt dat hij met me uit eten wil. Voor ik er erg in heb, zit ik weer alleen met hem in een stelletjessituatie en kan ik niet doen alsof we gewoon vrienden zijn en er niks aan de hand is.

We gaan naar een goedkoop Italiaans ketenrestaurant. Ik bestel knoflookbrood en een pizza, met extra uien. Als Max het al vervelend vindt, laat hij er niets van merken. Hij werkt zijn eigen eten naar binnen en de helft van mijn eten, zodat hij net zo'n slechte adem heeft als ik. Hij zegt zelfs nog dat het zo fijn is dat ik een gezonde eetlust heb en niet een van die meiden ben die constant aan het diëten is en alleen maar salades eten. Arghh!

Als we klaar zijn, lopen we naar Piccadilly Circus en zoeken een plekje om even te gaan zitten. Net als we dat hebben gevonden, kijk ik omhoog en besef dat we precies onder het beroemde standbeeld van Eros zitten. Eros, de

Griekse god van de liefde. Dat weet Max natuurlijk ook. We moeten hier wegwezen voordat hij het ook opmerkt en romantisch begint te doen!

'Laten we naar Trocadero gaan,' stel ik voor. 'Ik barst opeens van de energie. Het is lachen. Je vindt het vast wel leuk.'

Dat is gelogen. Trocadero is helemaal niet zo leuk. Eerlijk gezegd is er geen moer aan. Het is een groot gebouw waar volgens mijn moeder vroeger een restaurant in zat, maar nu is het nogal vervallen, met allemaal toeristische winkeltjes die schaalmodellen verkopen van Londense bussen, posters en er zijn bakken snoep waar je zelf uit kunt scheppen. Er is ook een speelhal, waar je videogames kunt spelen of kunt bowlen of in de botsautootjes. Ik zit nog te vol om snoep te scheppen of om in botsautootjes te gaan, dus we doen een paar arcadegames en struinen dan de winkeltjes af. Een daarvan heeft een hele afdeling aan Adam Grigson gewijd, met verouderde kalenders (het is augustus), fotoboeken en ansichtkaarten.

'O wauw, ik ben gek op Adam Grigson. Echt helemaal mijn type,' zeg ik terwijl ik Max' hand loslaat en een ansichtkaart van een half ontblote Adam Grigson pak. De woorden floepten zo mijn mond uit. Het is niet zo lullig als opvallend loeren naar een jongen van vlees en bloed waar hij bij is, maar het blijft gemeen. Het zal Max niet ontgaan dat Adam Grigson zijn fysieke tegenbeeld is. Ik zou het in ieder geval niet leuk vinden als mijn date zou zeggen: 'O, ik ben gek op lange, dunne blondines met grote tieten.'

Max ziet er verward en gekwetst uit. 'Ik koop hem voor je,' zegt hij dan.

Waarom moet hij altijd zo áárdig doen? 'Nee, laat maar. Ik kan hem zelf wel kopen, maar ik heb hem niet echt nodig.'

'Ik wil het graag. Ik sta erop. Ik vind het leuk om cadeautjes voor je te kopen.' Voordat ik er iets tegen in kan brengen, loopt hij er al mee naar de kassa. Het is alsof hij me betaalt om hem een klap te verkopen. Ik voel me de ergste bitch op aarde.

Hij komt niet alleen met de ansichtkaart terug, maar ook met een suffe sleutelhanger met een foto van Adam Grigson, uitgedost als vampier. 'Ik dacht dat je dit ook wel leuk zou vinden,' zegt hij. 'Voor je verzameling.'

'Bedankt,' zeg ik zonder al te veel overtuiging. 'Dat had je echt niet hoeven doen. Waarom ben je toch altijd zo gul? Het is echt overdreven.' Ik weet dat ik koud klink en hij ziet er weer gekwetst uit.

'Wat heb jij vandaag? Je doet echt vreemd tegen me; dan weer aardig, dan weer niet. Heb ik iets verkeerds gedaan?'

'Nee,' zeg ik. En dan kom ik met de meest pathetische clichézin die er is: 'Het komt niet door jou, het ligt aan mij, oké?'

'Oké,' zegt hij zacht. 'Zullen we maar naar huis gaan? Morgen voel je je vast beter.'

'Ik denk het niet,' mompel ik zacht.

'Ik wil alleen nog even iets te drinken kopen voor onderweg.' Hij probeert opgewekt te klinken. 'Wil jij ook iets? We moeten een winkeltje zien te vinden dat nog open is.'

We lopen zonder iets te zeggen terug via Trafalgar Square en Charing Cross Road. Vlak voor het metrostation zit zo'n kruidenierswinkel annex kiosk die alles tegen woekerprijzen verkoopt. Ik volg Max naar binnen en blijf bij de kassa rondhangen terwijl hij een paar colablikjes uit de koelkast haalt.

Net als hij met de blikjes op me af komt lopen, zie ik iets waardoor mijn zenuwen door mijn keel gieren. Midden op de toonbank ligt open en bloot een stapel *Sizzling*-exemplaren, het best verkopende roddelblad in het land. En, onmogelijk te missen, bijna het hele omslag wordt in beslag genomen door een gigantische, niet erg flatteuze foto van Rufus Justice, met als kop: *Naakte Fieldstar-drummer schokt de buurt!*

19

Wat heb ik gedaan?

Mijn oren suizen en opeens voelt het alsof alles zich in slow motion afspeelt. Max komt glimlachend op me afgelopen met twee colablikjes in zijn hand, en ik weet dat als hij bij me is – over vier seconden, drie seconden, twee seconden... – mijn leven voorbij zal zijn. Hij heeft het tijdschrift nog niet gezien, maar dat gáát gebeuren. Honderd procent zeker. Zelfs al had ik genoeg tijd, dan zou ik nog niet eens alle exemplaren in deze zaak kunnen kopen. En er liggen er nog veel meer in andere winkels; in elke kiosk in Londen en door het hele land. *Sizzling* heeft een miljoenenoplage. Erger nog: binnen no time zullen alle bladen en kranten het hebben overgenomen en er God weet wat van brouwen. Ik weet hoe die dingen gaan: ik heb het al zo vaak zien gebeuren.

'Max...' zeg ik wanhopig. 'Ik moet je iets vertellen...'

Maar het is al te laat. Hij staat bij de kassa en heeft het tijdschrift in het oog gekregen. Zijn gezicht is helemaal wit van de shock en hij ziet er beverig en benauwd uit. Hij zet de blikjes met een klap op de toonbank en pakt een nummer om het beter te kunnen zien. Dan zegt hij met een uitdrukkingsloze stem tegen de verkoper: 'En ook dit tijdschrift, graag.' Hij overhandigt hem een briefje van tien pond, wacht het wisselgeld niet af maar snelt naar me toe, grijpt me bij de arm en duwt me de winkel uit.

'Jezus,' zegt hij. 'Dit is verschrikkelijk. Echt verschrikkelijk. Ik móét naar huis.' Hij rent naar het metrostation en om hem bij te houden moet ik wel achter hem aan draven – hij is al bij de klapdeurtjes en racet met twee treden tegelijk de roltrap af. We bereiken het perron en springen net voordat de deuren dichtgaan de metro in. Max ontspant pas als we eenmaal zitten en de metro is vertrokken. Dan bladert hij onhandig door het tijdschrift tot hij de pagina van het artikel heeft gevonden. Ik lees met ingehouden adem over zijn schouder mee.

Exhibitionistisch optreden Fieldstar in achtertuin!

Rufus Justice heeft zijn buren in trendy Camden Town een schok bezorgd door in het holst van de nacht uit de kleren te gaan en in zijn nakie door de tuin te struinen. De opgewonden Fieldstar-drummer werd volgens onze bron (hoogstwaarschijnlijk uit nabije kring) afgelopen week om drie uur 's ochtends in zijn tuin gesignaleerd. 'Hij slaapwandelt al van kinds af aan, het is een groot probleem,' aldus de bron. 'Het is een buurt met veel jonge gezinnen en de buren zijn hier niet blij mee.'

Wij dachten dat Rufus, sinds hij twee jaar geleden het adembenemende Russische model Isabella Primanova tegen het lijf is gelopen, zijn wilde haren kwijt was. Maar het lijkt er meer op dat hij terugvalt in zijn oude gewoontes...

Mijn hart gaat bij elk woord vijf keer sneller slaan, totdat ik me misselijk en benauwd voel. Het is al erg genoeg dat Rufus' gênante probleem aan de grote klok is gehangen, maar dit is nóg erger: hij wordt door het artikel afgeschilderd als een of andere viezerik die het leuk vindt om midden in de nacht in zijn achtertuin zijn kleren uit te gooien. Het stuk over het slaapwandelen staat pas ergens middenin – je zou er bijna overheen lezen. En ze hebben alles verkeerd! Isabella is niet Russisch; ze is Tsjechisch. En ze is geen model. En wie is die bron waar ze het over hebben? Ik kan het niet zijn. Max ook niet, of Isabella, of de bandleden. De timing is wel erg toevallig, dus er is maar één verklaring voor, en dat is dat Sky het aan iemand heeft verteld. Ik zou alleen niet weten aan wie. En die iemand moet het weer aan iemand anders hebben doorverteld, die het aan het blad heeft doorverteld. En er waarschijnlijk vet voor is betaald! Maar hoe je het ook bekijkt, het is mijn schuld. Wat heb ik gedaan?

Max staart me met een ijskoude blik aan. Ik weet dat hij zich precies hetzelfde afvraagt en tot precies dezelfde conclusies komt, op precies hetzelfde moment als ik. Hij zucht en pakt mijn hand vast. 'Rosie, ik vraag dit liever niet, maar ik moet het weten. Was jij het? Heb jij het aan iemand doorverteld? Want jij bent de enige aan wie ik het ooit heb verteld. Ik zou niet weten hoe het anders naar buiten is gekomen. Het is al jaren een goed bewaard geheim.' Hij is even stil. 'Ik hoop echt dat jij het niet was.'

Ik durf hem niet aan te kijken. Ik wou dat de metro in een tunnel stilhield en mij daar in het donker voor eeuwig in mijn eentje achterliet. 'Ik vind het zo ontzettend erg,' zeg ik zacht. 'Het was niet de bedoeling.'

Hij laat mijn hand los. 'Ik weet dat je het verhaal niet hebt verkocht, toch? Dus aan wie heb je het verteld?'

'Alleen aan Sky. We vertellen elkaar alles. Ik weet dat het geen excuus is, maar ze zit in Goa. En ik kan haar meestal vertrouwen. Geef haar alsjeblieft niet de schuld, want die ligt bij mij. Ik had mijn mond moeten houden. Ik vind het zo ontzettend erg.'

Ik wil dat hij boos op me is, maar dat is hij niet. Hij schreeuwt niet en hij loopt niet weg; hij kijkt me alleen met vochtige, verdrietige ogen aan, alsof hij teleurgesteld is dat ik niet degene ben die hij dacht dat ik was. 'Het is niet jouw schuld,' zegt hij zacht. 'Het is mijn eigen schuld. Rufus zei al dat ik niemand moest vertrouwen. Als je een celebrity bent, gelden er andere regels. Ik had het je niet moeten vertellen.' Hij draait zich van me weg en staart wezenloos uit het raam terwijl de muren van de tunnel langsrazen.

Ik heb de hele dag geprobeerd hem af te stoten. En nu is het gelukt. Maar waarom voelt het dan niet goed?

20

Paparazzi in Paradise Avenue

Rufus Justice is depressief. Hij heeft al zes dagen, sinds het slaapwandelverhaal bekend is geworden, niet één keer een voet buiten de deur gezet. Hij kan zelfs niet eens zijn achtertuin in, omdat alle paparazzilenzen daarop gericht zijn, in de hoop hem naakt te kunnen vastleggen. Max zegt dat hij alleen maar in zijn ochtendjas in de woonkamer op zijn Wii zit te spelen, met de gordijnen dicht. Hij heeft zijn drumstel of pen en papier om een songidee neer te krabbelen, niet eens aangeraakt. Isabella is helemaal van streek en de bandleden zijn als de dood dat hij niet in staat is om het concert in KOKO te spelen, dat al over een paar dagen is.

Ik voel me zo ellendig dat ik heb aangeboden om langs te gaan en uit te leggen wat er is gebeurd en mijn excuses aan te bieden, maar Max zei dat ik dat beter niet kon doen. Hij is zo netjes geweest om zijn broer niet eens te vertellen dat het allemaal mijn schuld is. Rufus heeft geen idee hoe het verhaal naar buiten is gekomen en hij zal er nu waarschijnlijk ook nooit achter komen. Het zal gewoon een 'mysterie' blijven. Max zegt dat het zo beter is.

'Rufus vertrouwt toch al niemand,' legde Max uit. 'Waar het verhaal vandaan komt, is niet meer belangrijk. Het ligt nu op straat, en het is niet meer terug te draaien.'

Het verhaal was de dag nadat *Sizzling* in de winkels lag door twee andere roddelbladen overgenomen, en het verspreidde zich ook via internet. Mensen hebben lullige foto's gepost van vette, naakte kerels waar het hoofd van Rufus overheen is geplakt, en ongelofelijk lullige grapjes dat zíj geen enkel probleem hebben om goed door te slapen bij het beluisteren van Fieldstars-albums. Fieldstar heeft een bespreking met het managementteam gehad en er is besloten tot 'schadebeperkende maatregelen'. Ze proberen er een positieve draai aan te geven. Rufus heeft zich daarom – met tegenzin – door radiozenders en kranten met gezondheidsbijlagen over zijn slaapwandelprobleem laten interviewen om te laten weten dat er niets leuks aan is. In feite is het een ernstige medische aandoening, die gevaar kan opleveren. Eén krant schreef dat er slaapwandelaars zijn die zichzelf of hun partner in hun slaap hebben verwond. Niet dat Rufus dat ooit is overkomen. De strekking is dat hij mensen met hetzelfde probleem door zijn verhaal wil helpen.

Ik vond celebrityroddels altijd heel opwindend. Maar

door dit hele gedoe realiseer ik me hoe verschrikkelijk het kan zijn om beroemd te zijn. Ik ben blij dat ik Rufus nu niet ben; opgesloten in je eigen huis, omringd door fotografen en journalisten die ieder moment kunnen opspringen.

Ik ben zelf ook met schadebeperkende maatregelen begonnen. Ten eerste heb ik mijn Max-plan uitgesteld. Het voelt opeens gemeen en onbelangrijk aan. En het komt erop neer dat hij al op me afgeknapt is; dat is overduidelijk, hoe lief hij ook doet. Ik heb het gevoel dat hij me niet meer vertrouwt. Hij heeft het niet gezegd, maar hij is niet meer zo openhartig en ook niet meer zo aanhalig. En omdat hij zich zorgen om Rufus maakt, zit hij heel veel thuis en komt hij nauwelijks nog de deur uit. De paar keren dat hij me zoende, deed ik mijn ogen dicht en dacht aan Adam Grigson. Ik zou niet weten wat ik anders zou moeten doen tot dit allemaal achter de rug is. Ik zit met deze verkering opgescheept.

Op de avond dat ik het tijdschrift spotte, heb ik meteen bij thuiskomst een e-mail aan Sky gestuurd. Ik had gehoopt dat ze hem snel zou lezen en me zou vertellen wat er precies is gebeurd. Ik hoopte een klein beetje dat ze héél misschien zou zweren dat ze het aan niemand had verteld, en dat het echt een heel toevallige samenloop van omstandigheden was geweest en dat ik mezelf niet meer de schuld hoefde te geven.

Ik voelde me in ieder geval een stuk beter toen ik die e-mail had verstuurd.

Lieve Sky,

Jezus, wat een ellende!

Rufus is in heel Engeland in het nieuws. Heb je het gehoord? Jee, ik weet niet hoe ik het moet zeggen, maar zit jij erachter? Heb jij het aan iemand verteld? Er is een 'tipgever' en niemand weet wie het is. Ik weet dat ik heel duidelijk had moeten zeggen dat je niemand over het slaapwandelen mocht vertellen, maar ik dacht dat je dat wel begreep. Ik geef je niet de schuld, maar ik zit nu wel in de shit. Aan wie heb je het verteld? Hoe is het in een tijdschrift terechtgekomen? Ik wil dood! Bel of e-mail me ALSJEBLIEFT zodra je kunt.

Liefs, Rosie x

Ze heeft nog niet gereageerd. Misschien kon ze niet online komen of schaamt ze zich te erg om me te antwoorden. Ze komt over een paar dagen terug, dus dan kan ik haar recht op de man af vragen wat er is gebeurd.

Op dit moment zit ik met Vix in een café op Camden High Street aardbeien- en wittechocolademuffins te eten met koude chocoladefrappés erbij. Zij trakteert. We zitten vlak bij het raam op ons lievelingsplekje te kijken naar de mensen die voorbijkomen. Ik ben gestopt met de celebo-meter, misschien wel voorgoed. De lol is eraf. En daar zijn deze problemen trouwens allemaal mee begonnen!

Deze keer heb ik Vix alles eerlijk verteld. Ik heb haar op-gebiecht wat ik heb gedaan en ze reageerde onvoorstelbaar lief. Ze zei dat als zíj de vriendin van Max was geweest, ze precies hetzelfde zou hebben gedaan: mij of Sky over het slaapwandelen vertellen.

'Je verbreekt niet echt een belofte door het aan je allerbeste vriendin te vertellen. Dat is een ongeschreven wet, toch?' zegt ze. 'Dat weet iedereen. Het met je beste vriendin bespreken is net zoiets als hardop praten.'

'Ja, alleen heeft Sky het doorverteld.'

'Oké, maar jij hebt haar niet gezegd hoe belangrijk het was om dit geheim te houden, en zij werd waarschijnlijk gek daar, zonder nieuwtjes of roddels. Ze voelt zich vast verschrikkelijk als ze hoort wat een ellende ze heeft veroorzaakt.'

'Ja,' zeg ik, hoewel ik eigenlijk denk dat Sky diep van binnen best trots is dat ze zo'n ophef heeft uitgelokt. Zij kent Rufus niet zo goed als ik.

'Straks is iedereen het weer vergeten. Dan is er weer een nieuw celebrityschandaal waar ze het over kunnen hebben.'

'Ja,' zeg ik. 'Dat weet ik wel, maar dat gedoe met Rufus staat nu voor altijd op internet. En hij wilde het geheim houden. Whatever, wil je nog iets te drinken?'

'Wat dacht je? Natuurlijk!'

'Deze keer betaal ik.'

Er staat een lange rij, vooral omdat de jongen die serveert (volgens mij noemen ze die hier *barista's*) er niets van bakt en voortdurend bestellingen door elkaar haalt en het verkeerde wisselgeld teruggeeft. Ik leun tegen de toonbank en denk ongeduldig: schiet eens op.

'Tering,' zegt iemand achter me. 'Zo staan we hier morgen nog.'

Ik draai me om. Het is een jongen, ongeveer twee jaar ouder dan ik, en hij is ongelofelijk knap, met donkere lokken die voor één oog hangen en een slank, gespierd lijf. Hij zou zo in een band kunnen spelen. Wat waarschijnlijk niet zo is.

'Ja, vertel mij wat,' zeg ik en ik probeer niet te blozen. Ik voel me opeens heel onzeker. Ik check mijn spiegelbeeld in de taartvitrine. Volgens mij kan het ermee door. Goddank heb ik het plan stopgezet en draag ik weer mijn gewone kleren en make-up.

'Het is hier altijd hetzelfde liedje,' zegt hij. 'Te druk. Ben jij een toerist die de markt bezoekt?'

'Nee joh! Ik woon hier al mijn hele leven. Ik kom uit deze buurt. En jij?'

'Ja, ik ook. Uit Chalk Farm, eigenlijk. Aan de andere kant van High Street.'

'Ah, ik woon aan de kant van Camden Road.'

Hij lacht en steekt zijn hand uit. Hij is hélemaal mijn type. 'Ik ben Laurie.'

'Rosie,' zeg ik terwijl ik zijn hand schud. Ik hoop maar dat ik geen zweterige handpalm heb.

De rij schiet niet echt op. Ik probeer oogcontact met Vix te maken, maar ze zit met haar rug naar me toe.

'Ben je hier met iemand?'

'Ja, met mijn beste vriendin, Vix. Ze zit daar,' zeg ik terwijl ik haar achterhoofd aanwijs. 'We zitten altijd bij het raam. Dat is de beste plek om mensen te kijken. Jij?'

'Ik kom alleen iets halen om mee te nemen. Ik heb een vakantiebaantje in de sportzaak op High Street. Ik heb nu pauze.' Hij kijkt op zijn horloge. 'Eh... ik hád pauze.'

'Ga maar voor, als je wilt.'

'Ah... aardig van je, maar het is niet nodig. Dan ben ik maar te laat.'

Tegen de tijd dat ik onze drankjes heb, ben ik flink wat over hem te weten gekomen. Hij blijkt volgend jaar aan zijn keuzevakken te beginnen. Zijn zus zit in hetzelfde jaar als ik en we zijn een paar keer naar dezelfde optredens geweest. Hij is heel open en zó cute dat ik bijna vergeet dat ik in het openbaar met een vreemde sta te praten. En dat ik al een vriendje heb.

'Nou,' zegt Laurie, terwijl hij zijn drankje krijgt aangereikt. 'Ik moet weer aan de slag.' Hij zegt even niks. 'Ik ben eh... meestal niet zo direct, maar heb je zin om een keer iets af te spreken? Mag ik je telefoonnummer? Ik wil je best uitnodigen voor een koffietje, maar in een café klinkt dat een beetje dom.'

'O...' zeg ik met een teleurgesteld gezicht.

'Sorry,' zegt hij met een geforceerde glimlach. 'Je hoeft het niet te geven. Ik had het niet moeten vragen.'

'Nee, dat is het niet. Ik zou je heel graag mijn nummer geven. Maar het kan niet. Ik eh... heb al een vriendje.' Ik wil nog zeggen: 'ik ben bezig hem te dumpen', maar dan zou ik wel heel gemeen overkomen.

'Jammer,' zegt hij. 'Een andere keer misschien.'

'Misschien,' zeg ik.

'Nou, tot ziens dan maar.' Hij glimlacht en draait zich om en ik kijk hoe hij het café uit loopt.

Ik voel me diep ellendig. En ik heb het, zoals gewoonlijk, weer eens helemaal aan mezelf te wijten.

21

KOKO

Gisteravond heeft Fieldstar met een uniek concert hun nieuwe album gelanceerd. Vanaf vijf uur 's ochtends lagen er al rijen mensen voor de deur die hoopten een van de weinige kaartjes te bemachtigen. Voor de rest bestond het publiek alleen maar uit mensen van de gastenlijst: vrienden en familie, rocksterren, tv-presentatoren en voetballers, samen met journalisten en mensen van de platenmaatschappij. Het was echt een gelegenheid om je mooiste kleren voor uit de kast te halen, zoals bij een filmpremière. Isabella zag er in haar zeegroene zijden jurk waanzinnig uit. De genodigden kregen gratis cocktails en champagne, en minihamburgertjes op hele kleine bolletjes, of piepkleine porties fish-and-chips in kartonnen frietzakjes. Na het concert was er een groot feest, dat tot drie uur 's ochtends doorging. De straten rond KOKO zijn nog steeds bezaaid met lege flessen en repen gekleurde folie. Iedereen noemde het concert hét evenement van het jaar, van het hele decennium zelfs. Maar ja, dat zeggen ze iedere keer, toch?

Misschien kan hij gewoon heel goed acteren, maar je zou nooit zeggen dat Rufus in moeilijkheden zat. Hij maakte zelfs een grapje over zijn 'probleem' en kondigde aan dat hij het 'Rufus Justice slaapwandelfonds' aan het oprichten was om geld in te zamelen voor onderzoek naar slaapstoornissen. Fieldstar speelde een fenomenale set en hun nieuwe nummers werden met gejuich ontvangen. De critici waren ook enthousiast. Eén journalist blogde: 'Gisteren de geboorte meegemaakt van een tijdloos album van de populairste band van Engeland.'

Maar het mooiste moment was toen Rufus het nieuwe album op het podium onthulde en vertelde dat het *The Tarantula* heette. En raad eens: op de hoes staat mijn vaders schilderij *De stille dood van de tarantula*. Pap is zo trots. En ik ben heel trots op hem. Op elke hoes staat in de hoek zijn kleine, kriebelige handtekening. Fieldstar heeft het album zowel op vinyl als op cd en online uitgebracht, dus echte fans krijgen zijn werk op grote schaal te zien. Pap vertelde dat zijn eerste ideeën voor de albumhoes Rufus aanspraken, maar dat hij telkens uitkwam bij het vogelspinnenschilderij, waar pap persoonlijk mee was langsgekomen nadat Rufus er eerst een foto van op zijn telefoon had gezien. 'Er gaat zo'n kracht en stilte van uit,' had hij tegen pap gezegd. 'Voelen wij ons niet allemaal als die vogelspin, die in stilte op het strand sterft?'

Ik heb werkelijk geen idee waar hij het over had. Maar wat maakt het uit? Pap ziet er zo gelukkig uit dat het lijkt alsof hij elk moment uit elkaar kan barsten. Dit mag dan misschien pas het tweede schilderij zijn dat hij ooit heeft verkocht, en mam mag dan wel zeggen dat hij Rufus niet nog een keer had moeten matsen, maar dit wordt toch maar mooi door miljoenen mensen gezien, over de hele wereld. Mijn vader wordt beroemd. Zo ongeveer dan.

Ik kan je niet zeggen hoe graag ik er gisteravond bij had willen zijn om het allemaal zelf mee te maken. Maar ik ben niet gegaan. Ik weet alleen maar hoe het was omdat ik het op internet heb gelezen, en door wat Vix me heeft verteld. Ik ben niet gegaan omdat ik gisterochtend wakker werd en voor het eerst in mijn leven honderd procent zeker wist wat ik moest doen. Ik had een plan C bedacht.

'Mááám!' riep ik met een krakerige stem. 'Ik voel me niet lekker. Kun je even komen?' Ik wikkelde me in mijn dekbed en probeerde bleek en bezweet over te komen.

Mam kwam binnenlopen en keek bezorgd, met die zakelijke, doktersblik van haar. 'Wat is er, Rosie?'

'Ik voel me verschrikkelijk,' zei ik. 'Ik heb hoge koorts en al mijn spieren doen pijn, ik heb hoofdpijn en ik moet hoesten, ik heb diarree en ik voel me ook heel zweterig. En dan heb ik het opeens weer koud.' Dat waren de symptomen die Katy Kay (uit mijn lievelingsmeidenband, Proud Girls) had toen ze terugkwam uit Afrika. Daar had ik over gelezen.

'Klinkt grieperig,' zei mam achterdochtig. 'Een beetje

vreemd in augustus, maar het kan wel. Je hebt waarschijnlijk een verkoudheid opgelopen.'

'O nee, het is geen verkoudheid. Dit is véél erger,' jammer-
de ik. Er schoten me nog een paar symptomen te binnen.
'Mijn ogen doen pijn en ik heb ook last van huiduitslag.'

'Laat me eens kijken.' Ze sloeg het dekbed terug en ik
rilde zo goed als ik kon. 'Ik zie niks.'

'Mijn gewrichten doen ook pijn.'

'Rosie, ik geloof best dat je je niet lekker voelt, maar volgens mij heb je weer in mijn medische encyclopedie zitten
neuzen. Je hebt zojuist alle symptomen van knokkelkoorts
beschreven.'

'Ja, knokkelkoorts, dat is het!' Dat had Katy Kay! Nou
weet ik het weer. Ze was op vakantie door een mug gestoken, daar kwam het door.

'Ik ben door een mug gestoken,' zei ik. 'Kijk maar.' Ik liet
haar een kleine muggenbeet op mijn been zien. 'Dit is 'm.
Ik ben op Primrose Hill gestoken.'

Mijn moeder zuchtte diep. 'Rosie, je kunt knokkelkoorts
niet in Engeland oplopen, en al helemaal niet op Primrose
Hill. Het is een tropische ziekte. Onze muggen zijn geen
dragers.'

'En de klimaatverandering dan?' vroeg ik. 'Het is een hele
hete zomer.'

'Het is geen knokkelkoorts,' zei mam. 'Geloof me maar.
Maar ik zal voor de zekerheid je koorts even opnemen.'

Ze liep de kamer uit en kwam met een thermometer terug.

Gelukkig was het er een die je onder je tong moet houden, en niet in je kont hoeft te steken. Daar kwam ze ook een keer mee aanzetten toen ze me ervan verdacht dat ik maar deed alsof, om niet naar school te hoeven.

'Doe je mond maar open en zeg aaa.'

'Aaa.'

'Oké, ik ben zo terug. Niet op de verwarming leggen of in een kop thee steken terwijl ik de kamer uit ben.' Shit, mijn moeder kent alle trucjes.

Ik lag geduldig in bed met de thermometer onder mijn tong te wachten tot mam zou terugkomen. Ze keerde terug met een glas water en haalde de thermometer uit mijn mond. 'Je hebt inderdaad wat verhoging.' Ze klonk een beetje verrast. 'Misschien ben je echt ziek.'

Echt waar? Bingo, dacht ik. Komt zeker door de stress. Ik ben letterlijk ziek geworden van al dat getob.

'Je kunt het beste in bed blijven en uitrusten. En heel veel drinken. Dan zien we morgen wel weer verder.'

'Maar...' zei ik, klaar om mijn ingestudeerde betoog op haar los te laten, 'vanavond is het optreden in KOKO.'

'Dat is vreselijk jammer, maar daar kun je echt niet heen. Zelfs niet met een klein beetje verhoging. Moet ik iemand voor je bellen?'

'Ja, zou je dat willen doen, mam? Zou je tegen Max kunnen zeggen dat het me heel erg spijt maar dat ik echt niet mee kan? Zeg maar dat hij Vix mee moet nemen. Hopelijk vindt hij 't niet erg.'

'Goed,' zei mam. 'Wil je hem echt niet liever zelf spreken?'

'Nee, bel jij hem alsjeblieft. Ik kan het niet opbrengen.'

'Goed dan. Jeetje Rosie, je moet je wel echt heel ziek voelen. Ik weet hoe erg je je op dat concert hebt verheugd.'

'Ja,' zeg ik somber. 'Ik heb me er al weken op verheugd. Het heeft gewoon niet zo mogen zijn.'

Wat mam niet wist, was dat ik het introducéticket gisteravond al aan Vix had gegeven. Ik had haar wel moeten overhalen, maar toen ik had uitgelegd waarom ik het deed, stemde ze in.

'Ik kan echt niet gaan,' zei ik. 'Ik verdien dat kaartje niet. En Max verdien ik ook niet. Ik weet nu al dat ik hem bij de eerste de beste gelegenheid ga dumpen. Het zou oneerlijk en niet oké zijn als ik naar het optreden zou gaan en zou doen alsof er niks aan de hand is. En eerlijk gezegd wil ik hem liever ook niet zien. Dat zou het alleen maar moeilijker maken. Maar ik kan hem niet zomaar op het allerlaatste moment in zijn eentje laten gaan. Hij mag jou graag, dus zo heeft-ie toch een leuke avond.'

'Oké,' zei Vix. 'Niet dat ik er niet heen wil. Maar jij bent een grotere fan van Fieldstar dan ik. Het is een speciaal optreden. Je gaat een verschrikkelijke avond tegemoet als je bedenkt hoe geweldig je het daar zou hebben.'

'Ik weet het,' zei ik. 'Maar maak je geen zorgen, ik vind wel een manier om mezelf op te vrolijken.'

'Wat nou als Max er niet met mij heen wil?'

'Dat wil hij echt wel.'

En natuurlijk was dat ook zo.

Nu zit ik op hem te wachten; hij komt zo langs. Ik heb

hem daarstraks gebeld om te zeggen dat ik me beter voelde, en dat we moesten praten.

Wens me maar succes, want dit wordt afschuwelijk.

22

Einde… en een nieuw begin

Max is niet meer mijn vriendje. Maar ik heb het niet uit-
gemaakt; uiteindelijk heeft hij mij gedumpt. Grappig hoe
dingen kunnen lopen.

Ik had een heel verhaal voorbereid: hoe leuk ik hem vond,
hoe lief hij was, dat we het samen zo leuk hadden gehad,
dat ik had gewild dat het anders was, maar dat we beter
gewoon vrienden konden zijn. Ik kreeg niet eens de kans
om het te zeggen. Ik merkte meteen toen hij binnenkwam
dat er iets veranderd was. Hij kuste me niet, niet eens op
mijn wang, en hij lachte ook niet zo veel als anders. Hij
kwam stilletjes over, nerveus, in gedachten verzonken. We
praatten wat over het optreden, en dat het leek of het Rufus
over zijn depressie heen had geholpen, en toen kwam hij
ermee voor de dag.

'Luister, Rosie,' zei hij, toen hij eenmaal zeker wist dat ik

187

me beter voelde en niet à la minute zou sterven. 'Het moet er nu uit, voor ik niet meer durf.' Hij slikte moeizaam. Toen wist ik dat hij zelf een verhaal had voorbereid. 'Ik weet niet wat jij ervan vindt,' ging hij verder, 'maar dit werkt niet. Het voelt niet goed. Al een tijdje niet. Sorry Rosie, maar straks moet ik weer naar school, hier mijlenver vandaan, en ik weet niet of wat er tussen ons is die afstand kan overleven.'

Toen hij klaar was met zijn verhaal, slaakte hij een zucht en keek me verwachtingsvol aan.

Het enige wat eruit kwam was: 'O.' Om je de waarheid te zeggen was ik met stomheid geslagen en – heel vreemd – ook verdrietig. Ik had een brok in mijn keel en dacht echt even dat ik in huilen zou uitbarsten. Idioot, dat weet ik ook wel, maar toen ik besefte dat hij mij niet meer wilde, kreeg ik opeens het gevoel dat ik hem heel graag wilde. Ik had het gevoel alsof ik iets kwijt was, ook al was ik er niet eens blij mee toen ik het nog had.

'Ik wil je geen verdriet doen, Rosie,' zei hij zacht. 'Je bent een ontzettend leuk meisje, maar je verdient beter.'

'Ik weet het,' zei ik. 'Jij ook.'

'Vrienden?'

'Altijd.'

'Ik beloof je dat ik je kom opzoeken als ik bij Rufus ben. En we kunnen mailen, als je wilt.'

'Dat zou leuk zijn.'

'Nou,' zei hij. 'Tot de volgende keer dan maar. Ik ga eerst nog langs huis voordat school begint, ik moet nog van alles regelen.'

'Oké.' Ik wist niet goed wat ik verder nog moest zeggen of doen.

'Tot ziens, Rosie.' Hij boog naar voren, sloeg zijn armen liefdevol om me heen en gaf me een laatste zoen. Voor de eerste en laatste keer met Max maakte mijn maag een salto. En ik dacht niet eens aan Adam Grigson.

Max is nu dus vertrokken. En Rufus vertrekt morgen ook. Fieldstar gaat zes maanden op wereldtournee om hun nieuwe album te promoten. Er staat nu een bus voor de deur waarin zijn spullen worden geladen. Isabella reist dit keer met hem mee, dus het huis zal leegstaan. Voorlopig woont er dus geen celeb naast ons.

Sky is weer terug. Ze voelt zich verschrikkelijk over wat er is gebeurd, hoewel niemand er nog mee bezig is. Het blijkt dat ze het tussen neus en lippen door aan een vriendin van school had verteld die haar had gemaild, en die vriendin had het weer aan iemand anders verteld, die het aan haar zus had verteld, die weer iemand kende die bij *Sizzling* werkte. Ze vertelde dat ze mijn mail niet had beantwoord omdat haar moeder onenigheid had gekregen met de yogameester van de retraite over 'ideologische meningsverschillen' – wat dat ook moge betekenen. In plaats van naar Engeland te reizen, had haar moeder het gezin meegesleept op een rondreis over het eiland. Ze had boven op een olifant gezeten en onder de blote sterrenhemel geslapen op het strand. Nadeel was alleen wel dat ze geen internet had gehad.

Ik zit nu met Sky en Vix op het dakterras van Tupelo

Honey, een café op Parkway, waar ze zelfgemaakte taart-jes en smoothies verkopen. We hebben het erover hoe waardeloos het is dat we volgende week weer naar school moeten, en dat zomervakanties altijd veel te kort duren. Sky heeft een neuspiercing laten zetten. Ze heeft het samen met haar moeder in Goa laten doen, en nu zit er een rood edelsteentje in haar rechterneusvleugel. Het ziet er cool uit (hoewel ze hem op school niet in mag), maar Sky zegt dat ze er spijt van heeft. Ze vindt dat haar grote neus nu te veel opvalt. Sky heeft geen grote neus. Volgens mij voelt ze zich onzeker omdat ze weer ruzie heeft met Rich, ook al had ze gehoopt dat alles door die ene maand wel weer goed zou komen. Ze blijft maar zeggen dat ze niet zeker weet of hij haar wel heeft gemist. Vix vindt Rich maar niks. Dat zou ze alleen nooit tegen Sky zeggen.

Het is bijna zeven uur en ik heb mijn ouders beloofd dat ik thuis zou komen eten. We haken onze armen in elkaar, verlaten het café en lopen over Parkway, langs de bioscoop waar ik die vreemde Japanse romantische film zag, en ste-ken Britannia Junction over. In Camden heerst zoals altijd een gezellige bedrijvigheid. Bij het metrostation staan aar-dig wat mensen; ze wachten op vrienden of maken muziek. Ik hoor verschillende talen door elkaar heen en ergens uit een bar in High Street stijgen flarden livemuziek op. Een man met een baard en een megafoon in zijn handen roept dat Jezus Christus de enige is die ons kan redden. Nie-mand besteedt aandacht aan hem.

We zijn net bij Camden Road aangekomen en lopen

langs de bushalte bij Sainsbury's, als ik een jongen mijn naam hoor roepen. Ik kan zijn stem niet plaatsen.

'Rosie?'

Ik laat de armen van mijn vriendinnen los en draai me om. De halte staat vol met mensen en het duurt even voor ik hem zie, maar als ik hem eenmaal zie, krijg ik de brede glimlach niet meer van mijn gezicht. 'Laurie? Hoi!'

Hij is even knap als in mijn herinnering en in mijn buik fladderen opeens allemaal vlinders rond. Ik ben me ervan bewust dat Sky en Vix verderop – hevig geïnteresseerd – staan te wachten. Ik geef aan dat ze verder kunnen lopen en maak een telefoongebaar.

'Ah, had ik het toch goed,' zegt Laurie terwijl hij op me af loopt. Hij loodst me bij de rij wachtenden vandaan. 'Leuk om je weer tegen te komen! Alles goed?'

'Ja, prima. En jij? Waar ga je naartoe?'

'Ik ga even een vriend in Holloway opzoeken. Waar ga jij heen?'

'Gewoon, naar huis,' zeg ik. 'Niks speciaals.'

'Geen afspraakje met je vriendje dus, vanavond?'

Ik begin te blozen. 'Eh… er is geen vriendje. Niet meer in ieder geval.'

Zijn ogen twinkelen. 'O, oké, leuk. Ik bedoel, jammer dat het uit is.'

'Nee hoor,' zeg ik. 'Het zat er gewoon niet in. Ik vind het niet erg.'

'Nou,' zegt hij terwijl hij me vanachter zijn lange pony aankijkt. 'In dat geval kun je me je nummer wel geven…'